JN111601

優しい日本人が気づかない残酷な世界の本音

移民・難民で苦しむ欧州から、宇露戦争、ハマス奇襲まで

川口マーン惠美×福井義高

ワニブックス

はじめに

アメリカのジェイク・サリバン国家安全保障担当大統領補佐官は、二〇二三年九月二九日の会合で「中東は現在、この二〇年でもっとも平穏である」と述べ、『フォーリン・アフェアーズ』一一・一二月号掲載の「アメリカン・パワーの源泉」と題した論文でも、同様の現状認識を示し、イスラエルとパレスチナの情勢は、とくにヨルダン川西岸では緊張しているものの、「我々はガザにおける危機を緩和し、長年絶えていた当事者間の直接交渉を復活させた」とまで書いていた。ところが、この原稿が印刷に回された一〇月二日からわずか五日後の一〇月七日、パレスチナのガザ地区を実効支配するハマスが、イスラエルに対して空前の大規模攻撃をしかけ、不意を突かれたイスラエル軍は当初まったく対応できず、兵士と民間人一〇〇〇人強が犠牲となったのである。

世界でもっともパレスチナ情勢を把握しているはずの米政府高官でもこのありさま。国際情勢というのは文字通り、一寸先は闇なのだ。

ハマス・イスラエル戦争も、二〇二二年二月にロシア軍侵攻で始まったウクライナ戦争も影の主役はアメリカであり、戦争を止めさせることができるのもアメリカである。ところが、アメリカの二つの戦争への対応は対照的である。ウクライナ戦争ではロシアを弱体化・孤立化させるため戦いの継続を望み、ウクライナへの支援を惜しまない一方、ハマス・イスラエル戦争では永続的停戦を望むも、何があってもイスラエル支持という米政治指導層の《idée fixe》(固定観念)ともいえる方針から、強硬なイスラエルを抑えることができない状況にある。

ただし、ウクライナ戦争については、ヨーロッパのみならずアメリカでも支援疲れが顕著となり、新たに中東で戦争が始まったこともあって、なんらかの妥協が実現する可能性は高まっている。一方、イスラエルとハマスの戦争は、これまでのアメリカとイスラエルの関係を大きく変える契機になるかもしれない。戦争における比例性原則を逸脱すると言わざるをえないイスラエル軍の攻撃によるガザの惨状を、映像を通じて目の当たりにし、アメリカではこれまでになくパレスチナ側への同情が広がっている。ウクライナ政府の発表によると、二〇二三年一〇月までの二〇カ月で、ウクライナで犠牲となった子供の数は五〇〇人強。一方、ガザで犠牲になった子供の数は、パレスチナ側の発表によると、一一月半ばまでの一カ月で五〇〇〇人弱。WHOのテドロス・アダノム事務局長も、一一月一〇日の国連安保理会合で、一〇分に一人の子どもが犠牲になっていると述べている。

二つの戦争に限らず、川口さんと私が語り合ったことも、全部とは言わないまでもかなりの部分が、冒頭のサリバン補佐官の見通しと同様の運命を逃れられないであろう。しかし、この対談では、時局に関する雑談に終わることなく、その歴史的背景にまでさかのぼって、読者の皆さんが大きな流れをつかみ、自ら判断するうえで有用な情報を提供するように努めたつもりである。人間社会というのは単純な善と悪あるいは敵と味方といった図式で割り切れないし、当事者の意図とはまったく違った結果が生じるのが世の常ということを理解していただければ幸いである。

令和五年一一月吉日

福井　義高

日本人はヨーロッパの勢力図を何も知らない

第1章 民族「追放」で完成した国民国家

ベルリンの壁崩壊とメルケル東独時代の謎

封印された中東と欧州の危ない関係

第4章 ソ連化するドイツで急接近する「極右」と「極左」

ドイツを蝕む巨大環境NGOと国際会議

第6章 国家崩壊はイデオロギーよりも「移民・難民」

日本は、嫌われても幸せなスイスとハンガリーを見習え

※敬称につきましては、一部省略いたしました。
役職は当時のものです。
※写真にクレジットがないものは、パブリックドメインです。

装丁・本文デザイン　木村慎二郎

日本人はヨーロッパの勢力図を何も知らない

ウクライナ戦争のカギを握る東欧

川口マーン惠美（以下、川口）：福井さんに初めてお会いしたのは、私が北朝鮮の拉致問題に関わっていたときでしたから、かれこれ二五年も前になります。福井さんは、当時すでに「救う会」の幹事をなさっていて、私はというと、北朝鮮で支援活動をしていたフォラツェンというドイツ人医師の体験談が日本で出版されたため、そのプロモーションで通訳をしました関係で、偶然、お目にかかりました。

そのずっと後ですが、福井さんが出された御本、『日本人が知らない最先端の「世界史」』（祥伝社）は私の〝バイブル〟となり、いろいろな人に差し上げるのに何冊買ったかわからないほどです。今日は楽しみでもあり、大変緊張もしております。

福井義高（以下、福井）：私も川口さんの著作はよく拝読していて、お伺いしたいことがたくさんあります。国際情勢を日本からだけ見ていては、不可解に思えることも多い。これまでの歴史から掘り下げないと現在に至る大きな流れはつかめません。いきなり私の結論を申し上げると、欧米の惨状に比べれば日本はずっとマシだということです（笑）。それを本書で明らかにしていきたいと思います。

さて、早速ですが、ウクライナ戦争に関するメディアの報道はあまりに単純な図式に基づいています。プーチン・ロシア＝悪、ゼレンスキー・ウクライナ＝善とか、権威主義あるいは独裁国家vs.民主国家といったように。

しかし、ウクライナはかつては「小ロシア」と呼ばれ、帝政時代はロシアの一部とみなされていたし、近代以降、第一次大戦の混乱期を除いてソ連崩壊までロシアと別の国になったことはありません。二〇一四年にウラジーミル・プーチンが奪ったとされるクリミア半島にしても、一九五四年、同半島をニキタ・フルシチョフがソ連を構成する一五の共和国のなかでロシアからウクライナへ帰属替えしたことが禍根を残したわけですが、日本でいうと熱海を静岡県から神奈川県に移したくらいの感覚です。そもそも同じ国だったわけですから。

ウォロディミル・ゼレンスキー

独立し別の国となった後も、ウクライナは貧しいうえ、政権が腐敗していたため仕事を求めロシア、ドイツ、ポーランドなどに働きに出る人が多く、このまま

2022 年 2 月 24 日に開始されたロシアによるウクライナへの全面侵攻

ウクライナ周辺図

では国として持たないとさえ言われていました。その出稼ぎ労働者の多さから「移民津波」と評されたほど。皮肉にもウクライナ戦争により、初めて国家としてのまとまりが実現したような国です。

戦争が始まる直前の二〇二一年末まで、その腐敗した政治体制は国際社会から非難を受けていたし、大統領のウォロディミル・ゼレンスキーは今のような英雄などではなく、国の内外から厳しく批判されていました。

そのようなウクライナを日米欧と同じ民主陣営に位置づけるのは無理があります。

川口：これは後で詳しく話したいのですが、特にドイツをはじめ西欧では、かなりの言論弾圧を民主主義と言いくるめて、次第に全体主義に向かっている気がして仕方がありません。だから、政治家とメディアが「ゼレンスキーを支援しなければならない」と言うと、国民は一気にそれを信じてしまう。日本も同じです。その点、むしろかつてソ連の軛（くびき）の下で、自らも共産主義体制を布いた東欧諸国のほうが敏感で、現在のEUの全体主義化に警鐘を鳴らしています。

被害者としてのドイツ、独ポ関係はある意味、日韓関係より深刻

福井：共産主義体制の下に置かれたことがない日本人にはその本当の恐ろしさがわからないんですね。日本ではアドルフ・ヒトラーの国民社会主義、いわゆるナチズムばかりが絶対悪として批判され、ベニート・ムッソリーニのイタリア・ファシズム、日本の軍国主義と、一括りに「ファシズム」とみなす主張が根強くありますが、すべて別物といってよい。むしろ、ナチズムは全体主義としてのソ連共産主義と類似した体制です。

両者を実際に経験した東ヨーロッパの人たちは、ナチズムも悪いがヨシフ・スターリンの共産主義も同様に悪だと骨身に染みてわかっています。しかし、東欧諸国をヒトラーとスターリンの一方的な被害者とみるのも正しくない。特に、第二次大戦勃発の責任はヒトラーだけに帰することはできません。後述するように、英米の後ろ盾の下、「東欧の盟主」たらんとしたポーランドが対独強硬外交によって、ヒトラーを挑発したことも開戦の大きな要因です。

第一次大戦後に誕生した多民族国家ポーランドは、戦争で疲弊（ひへい）したドイツとソ連をよそに東

欧の覇者として大国路線を追求します。これが欧州に第二次大戦をもたらす悲劇となるのですが、ヒトラーに戦争責任のすべてを押し付けた今日の正統歴史観ではこの事実が見えません。

ポーランドは戦間期に、ラトビアとルーマニアを除き国境を接するドイツ、ソ連、チェコスロバキア、リトアニアと領土紛争を抱える好戦的な国家でした。特にリトアニアに対しては首都ヴィリニュスを占領しています。

そして、一九二〇年から三〇年代にかけてソ連が第一の敵国とみなしていたのは、実はポーランドでした。ロシア革命直後、国力が疲弊したなかで行われた対ポーランド戦争に敗北し、ウクライナとベラルーシの西部がポーランド領となったことから、ソ連指導部は反ポーランド一色だった。ポーランド領内に住む多数のウクライナ人とベラルーシ人のポーランドへの反感も大きかった。

アドルフ・ヒトラー

ポーランドからすれば戦間期にイタリアが英独仏と並んで欧州政治を主導する四大国として扱われたのに、自分たちが小国扱いされることが、悔しくて仕方がなかった。実際、今でも人口は四千万人近くおり、国土面積も大きい。

大国意識といえば韓国も似たところがあります。ポーランドとドイツの関係は韓国と日本の関係によく似ていて、第二次大戦後はドイツも日本も謝罪一辺倒です。表向きはどうあれ、日独の国民感情は複雑です。独ポ関係が、ある意味、日韓関係より深刻なのは、日本統治時代の朝鮮半島にいた日本人は多くなく、ほとんどがいずれは日本に帰る前提だったのに対し、敗戦後にドイツとポーランドの暫定国境となったオーデル川・ナイセ川より東に数世紀にわたって住んでいたドイツ人はほぼすべて、意に反して追放されました。こういうことは日韓関係にはなかったことです。

この歴史の悲劇を盾にドイツはポーランドに謝罪を求めてもいいように思えますが、言いませんね。

川口：それを言うとすごいバッシングを受けます。ドイツにエリカ・シュタインバッハという、一九四三年に旧ドイツ領のダンツィヒ、今のポーランドのグダニスクですが、そこで生まれた元政治家がいます。この人は二〇一七年に政界から引退しましたが、正しいと思ったことは断固として主張する信念の政治家で、私はCDU（ドイツキリスト教民主同盟）の最後の保守だったのではないかとさえ思っています。ただ、それゆえにメルケル政治とは意見が合わなくなり、二〇一七年一月に離党。その後引退までは無所属議員でした。

シュタインバッハは、幼い頃、母親とともに西ドイツへ逃げてきています。つまり、今、福井さんがおっしゃった、ポーランドや、現ロシアのカリーニングラードなどですべてを失った人たちの一人でした。

その後、政治家となった彼女は人権問題に尽力、「故郷を追放された者の同盟」という生還者の互助組織の代表を引き受けて、追放された人たちの権利回復などに貢献しました。ただ、この組織のせいで、シュタインバッハは修正主義者の烙印を押され、国の内外で執拗な攻撃にさらされました。没収された財産の返還請求など、ポーランドが拒否したのはもちろんですが、彼女の主張はドイツの政治方針とも合わなかったからです。

その後も、左傾化していくドイツの政界では孤立。二〇一七年六月に国会で引退のスピーチをして、最後に「ありがとう」と言った時、一人も拍手する人がいなかった。あの光景は、今も目に焼き付いて離れません。涙が出ました。現在はAfD（ドイツのための選択肢）に所属しています。

福井：ドイツ人追放を強調することは、ナチスの罪を相対化するということでしょうか。

川口：ドイツは無条件降伏をし、その後も一切何の権利も主張しないことに、「変なプライド」を持っているのかもしれません。

秘められた⁉ ポーランドの野望

福井：今のポーランドは東ヨーロッパにおけるアメリカの代理人、あるいは出先ともいえる存在です。ドイツとソ連に散々苦しめられてきたという認識から、アメリカを利用して独露両国を牽制しようというわけです。ポーランド政府は二〇一四年に、国内にＣＩＡのための拷問施設まで提供していたことを公式に認めました。

川口：ポーランドにアメリカの大統領が来ると、すごい大歓迎です。

福井：アメリカ国内にはポーランド系移民が多いのです。そして、ジミー・カーター政権で大統領補佐官を務めたズビクネフ・ブレジンスキーのようにポーランド系は反露傾向が強い。

今回のウクライナ侵攻でも、ポーランドは反露強硬派の急先鋒でしょう。

一方で、ポーランドとウクライナは歴史的に敵対してきました。そのため、フランスのエマニュエル・トッドも指摘していますが、ウクライナを戦争で疲弊させ、旧ポーランド領のウクライナ西部を自らの勢力圏にしようとしているのではないかという穿った見方もあるくらいです。

ウクライナが反露であることは周知の事実ですが、前述したように反ポーランドであることも抑えておくべきでしょう。

戦間期のポーランドではユダヤ人、ウクライナ人、ベラルーシ人、ドイツ人への差別・迫害が常態化していました。他の東欧諸国でもユダヤ人への差別はあったし、戦争が始まるまで、民衆の間のユダヤ人迫害は、ドイツよりポーランドの方が酷かった。

第二次大戦後、戦争を生き延びた東欧のユダヤ人の多くが国を出ることに決め、最終的にイスラエルかアメリカに渡った。こうしてユダヤ人は、数世紀にわたって彼らの生活の中心であった中東欧からほとんど姿を消しました。

川口：ポーランドはウクライナ戦争のどさくさに紛れて、ロシアの飛び地であるカリーニングラードを取り戻そうとしているのではないでしょうか。もちろんこれは私の邪推ですが、かなりの自軍を投入してロシアと戦っているといいますから、いずれ国境の線引きが変わったときに備えて、それくらいのことは考えている気がします。

福井：カリーニングラードはかつてケーニヒスベルクと呼ばれ、哲学者イマヌエル・カントが終生過ごした東プロイセンの中心都市でした。

カリーニングラードはともかく、ウクライナの西部というのは戦間期にはポーランド領

カリーニングラードの位置

だったわけですから、当然野心はあるでしょう。ポーランドが一九三九年九月に独ソ両国に挟撃され国家として消滅した際、一九二〇年のソビエト・ポーランド戦争で獲得した西ウクライナや西ベラルーシは再度、ソ連領となりました。

ウクライナ西部の都市リビウはポーランド語ではルブフ。歴史的経緯からいうと領土の変更により、オーストリアのレンベルク→ポーランドのルブフ→ロシアのリボフ、そしてウクライナのリビウになったわけです。

川口：ウクライナはウクライナでなんとか戦争にNATO（北大西洋条約機構）を巻き込みたい。NATOにしてみれば、「冗談じゃない！」というところでしょう。二〇二二年一一月、ポーランドにミサイルが着弾してポーランド人二名が死亡したときも、ウクライナは頑なにミサイルはロシア製だと主張し、結局これはウクライナの防空ミサイルのせいだったわけですが。

福井：アメリカの著名なジャーナリスト、シーモア・ハーシュは二〇二三年五月一七日に出したレポートで、「ポーランドやハンガリーなどの政府関係者がゼレンスキーに、必要ならば辞任してでも戦争を終結させ、国家再建のプロセスを開始させるよう、ひそかに働きかけ、拒否された」と記しています。ウクライナから入国した数百万人の難民が近隣諸国にとって重荷となっていることが、こうした働きかけの背景にあるようです。

欧州の指導者たちは、ゼレンスキーが和平交渉を進めるのであれば、イタリアの別荘やオフショア銀行口座など、ゼレンスキーが手に入れたものはそのままでいいと本人に明言したとも言われています。

今のところゼレンスキーは交渉を拒否しているようですが、長引く戦争にウクライナの近隣諸国がいい加減うんざりしているというのは否定できません。二〇二三年九月一九日、ポーランドのアンジェイ・ドゥダ大統領は、ウクライナを溺れる人に譬え、「助けようとする人間を巻き込みかねない」と記者団に語っています。

川口：同年七月には、英国の国防相（defence secretary）だったベン・ウォーレスが、当然のように武器を注文し続けるゼレンスキーに、「我々はアマゾンではない」と抗議しています。そのゼレンスキーがドイツでも日本でも英雄視されているというのが、私には理解できません。

福井：プロパガンダで成功しているということでしょう。第二次大戦のときも、最後までアメリカのメディアは蔣介石（しょうかいせき）を英雄視していました。もちろん、蔣介石率いる中華民国がデモクラシーとは程遠い腐敗した独裁国家であったことはみんな知っていたのです。プロパガンダというのはそういうものでしょう。

ネオコンがロシアを憎悪する理由

福井：アメリカでも、ウクライナへの支援を止めろという国民の声が大きくなってきました。アメリカが武器などの支援を止めればウクライナは戦いたくても戦えなくなるでしょう。

川口：間違いなくウクライナ戦争の一番の被害者はウクライナ国民です。二〇二二年八月、国際人権団体「アムネスティ・インターナショナル」は、「ウクライナ軍が民間施設を拠点にし、民間人を攻撃にさらしている」と批判しています。同報告書に対し政治家や主要メディアが「ロシアを利する」とこぞってアムネスティを叩きましたが、戦争を止めてほしいと思っているウクライナ国民は多いはずで、士気が高いというのも、話半分に聞いたほうがいいような気がします。ドイツには、女性と子供ばかりでなく、若い男のウクライナ人も、なぜか結構来ています。
また「拷問」にしてもロシア軍ばかりが報道されますが、ウクライナ軍による拷問のニュースは、あたかも報道事故のようにすぐにひっこめられます。

福井：国連ウクライナ人権監視団の代表、マチルダ・ボグナーは、二〇二二年五月一〇日の記者会見で、ロシア軍によるものだけでなく、ウクライナ軍によるロシア兵拷問に関する信頼すべき情報を得たと発表していますよ。

川口：停戦についても戦争当初から交渉は行われていたんですよね。ところが、ウクライナ交渉団のメンバーの一人が、ベラルーシで行われたロシアとの停戦交渉に参加した一週間後に射殺されてしまった。ウクライナ情報部にロシアのダブルエージェントだとみなされたというのがその理由といいます（『タイムズ・オブ・イスラエル』二〇二二年三月六日）が、これで停戦交渉に対しウクライナ側の人間が委縮してしまった。

福井：デニス・キレエフのことですね。恐らくウクライナ政権内の対露強硬派の仕業（しわざ）でしょうね。
実は停戦交渉は、トルコなどの仲介もあり、戦闘が始まった直後から開始され、二〇二二年三月末には合意に近づいていました。ところが、当時英首相だったボリス・ジョンソンが直接キエフ（キーウ）に乗り込んで横やりをいれたため、交渉が頓挫してしまった。

川口：私は、あれは、「もう停戦しろ」と言いに行ったのかと思っていましたが、要はアメリカが戦争を止めたくなかったということですか。

福井：ジョー・バイデン大統領本人はどうかわかりませんが、政権内で主導権を握るいわゆる「ネオコン（ネオコンサバティブ）」と呼ばれる人たちがロシア打倒に執念を燃やしています。ネオコンの多くがユダヤ人で、ロシアは伝統的に反ユダヤとされ、実際、一九世紀後半から二〇世紀初頭にかけてロシアで「ポグロム」と呼ばれるユダヤ人迫害が頻発したことから、ロシアを心の底から嫌っています。

またプーチンは、LGBT推進など伝統的価値観を壊そうとするアメリカ主導のグローバルスタンダードの押し付けを真っ向から批判しています。ロシアは軍事的にも思想的にもアメリカにとって最大の敵ということです。ただし、アメリカの本来の保守的な人たちはこの戦争に懐疑的で、アメリカ国内は必ずしも一枚岩ではありません。

米のノルドストリーム爆破になぜドイツは怒らないのか

福井：米ジャーナリズムのレジェンドともいうべきハーシュは、二〇二二年九月のノルドストリーム破壊をロシアのウクライナ侵攻前からアメリカが計画し実行したとする長文の暴露記事を公開したり（二〇二三年二月八日）、ゼレンスキーとその高官たちが、アメリカからディーゼル燃料の予算を受け取っておきながら、安価という理由で敵国のロシアの燃料を買い、その差額を着服してきたと報じています（同年四月一二日）。ＣＩＡ（米中央情報局）のアナリストによる試算では、横領された資金は二〇二二年だけで少なくとも四億ドルにのぼる、と。

さすがにアメリカから軍の腐敗をなんとかしろと圧力をかけられ、ゼレンスキーも高官を更迭せざるをえなくなりました。

川口：ハーシュの論文は、ドイツの主要メディアではごく小さな扱いで、しかも、大きな疑問符をつけるかたちで報道しましたね。ハーシュはもう年寄りだからあてにならない、みたいな感じで。

ノルドストリーム破壊については、ロシアは最初から犯人はウクライナで、その背景にアメリカがいると主張していました。ポーランドでは爆破の直後、「ありがとう、アメリカ」とツイートした政治家もいたぐらいです。

ノルドストリームには「1」と「2」があり、それぞれパイプラインが二本ずつ敷設されているので、計四本です。水深八〇mぐらいのところにある極めて頑丈なコンクリート製のパイプを、次々に爆破するのですから、綿密な計画と資金が必要です。しかも、どこを通っているかは秘密になっていると言いますから、そのことだけみても、おそらくどこかの国の諜報機関が噛んでいるだろうと思われます。いずれにせよ、このようなドイツの重要インフラに対する攻撃は、ドイツ国民への攻撃ですから、宣戦布告のようなものです。

しかし、ドイツ政府は、「一意専心（いちいせんしん）で調査に励んでいる」と言っただけで、その後、ほとんど梨の礫（つぶて）。それどころか、オラフ・ショルツ首相は、「アメリカがやったという噂があるが、そんな証拠はない」と言っていました。

現在、ドイツでは左派党の（註：二〇二三年一〇月に離党）人気者、ヴァーゲンクネヒトが盛んにこの問題を取り上げて、何もしないドイツ政府を強く批判しています。

さらに不可解なのは、二〇二三年三月三日にショルツ首相が突然、報道陣も同行させずにワシントンに飛び、バイデンと二人きりで会談していたことです。会談後は共同記者会見も行われず、ショルツは二四時間足らずで帰ってきました。会談で何が話し合われたかはいまだにわかりませんが、ショルツがノルドストリームのことで何らかの引導を渡されたことは確かでしょう。今では、ヨーロッパでは一斉に、「ウクライナ犯人説」が広められています。

福井：ハーシュの暴露記事が出た後のタイミングであったことから、慌ててバイデンがショルツを呼びつけて今後の対策を話し合ったのではないかとも考えられる不可解な行動ですね。ショルツは仮にも大国の首相ですよ。しかもおかしなことにドイツメディアはそれを追及もしないわけでしょう。もし岸田文雄首相が同じことをやったら朝日新聞は徹底的に批判するだろうから、日本のメディアのほうがだいぶマシです（笑）。

西ヨーロッパvs.東ヨーロッパ

川口：EU内での東欧と西欧の対立も指摘しておきたい。東ヨーロッパはナショナリズムが強く、反グローバリズムであり、反中東移民です。

ポーランドもそうですが、ハンガリーは面白いですね。偽善的な言動が極めて少なく、ドイツやフランスの姿を冷めた目で眺めています。

ポーランド（註・二〇二三年一〇月の総選挙で政権交代の見込み。詳しくは第1章）もハンガリーも、ソ連の軛を離れてすでに三〇年以上になりますが、ハンガリーは過去に大国であった記憶が鮮明に蘇ったかのように、堂々と独自の外交を貫いています。

非常に現実主義で、大国に呑み込まれないよう用心に抜かりがなく、国益を第一に考えている。人権を守るためにも、他国を援助するためにも、自国の平和と繁栄が必要だと。ちゃんと筋が通っています。

難民問題では、ハンガリーやポーランドのやり方が際立っています。二〇一五年のドイツ主導の難民受け入れに関して、両国は最初からはっきりと「ノー」を示していました。彼らは、自国が多文化の国になることなど、端から望んでいません。

ポーランド人で、EU議会の副議長の一人であるズジスワフ・クラスノデブスキは、キケロ誌のインタビューに答えて、こう言っていました。

「メルケル首相が難民に国境を開いたのは、ドイツの歴史のセンシティブな点と関係しているのだろうからドイツの勝手だが、それをEUレベルで行えというのはおかしい。EUの規定に、マルチ文化にならなければならないなどとは書かれていない。ポーランド国民は、祖国を、現在、フランスの多くの街で見られるような風景にするつもりはない」

まったくの正論だと思います。

また、ハンガリーのオルバン・ビクトル首相はアンゲラ・メルケル独首相と確執の多かった政治家ですが、「ヨーロッパの精神はヒューマニズムだ。難民を締め出すのはよくない。連帯が重要」と訴えたメルケルに対し、こう言い放ちます。

「ハンガリーの国境警備隊が国境を守ることを止めれば、ドイツには毎日、四〇〇〇～五〇〇〇人の難民が入るだろう。それを防いでいるのが我々だ。我々にとって連帯というのは、こういうことだ」

実際、ポーランドやハンガリーは自国の国境をしっかりと防衛しようとしました。そのため、ドイツ、フランスなどEUのエリート国の首脳たちに「反人道的」だと非難されましたが、一向に動じなかった。

ドイツの報道だと、「東欧は新興の民主主義国の集まりで、民主主義が板についていない。だから、あっという間に独裁的手法が復活し、三権分立さえ解体され始めている」というような批判が多いのですが、私は違うと思います。図式化するとしたら、民主主義の問題ではなく、理想主義か現実主義か、あるいはヨーロッパを守るか崩すかの問題です。

福井：おっしゃるとおりです。ヨーロッパ的なものはいずれ東ヨーロッパにしか残らないのではないか。ドイツでも白人が少数派になる日はそう遠くないでしょう。

ただ東欧諸国同士も基本的には仲が悪いですが（笑）。

東欧諸国も仲が悪い、今も昔も複雑な関係

川口：一九九一年に設立された「ヴィシェグラード」はいかがですか？　これはハンガリー、ポーランド、チェコ、スロバキアの四カ国の地域グループですが、あたかもEUを主導する

西欧に対抗するかのようです。

ヴィシェグラードというのは、ハンガリーの北のスロバキア国境の町の名で、一三三五年にこの地でハンガリー、ポーランド、ボヘミア（現チェコ）の王が会議を持ったことから、グループの名前となりました。これらの国からは、かつては中欧を広く支配し、強大な富と文化を誇ったというプライドが滲(にじ)み出ています。

このヴィシェグラードは、EU内で存在感が高まるかと期待していたのですが、仲が悪いのですか？

福井：第一次大戦後に戦勝国の都合でつくられたチェコスロバキアという「人造国家」は、冷戦が終わると、すぐにチェコとスロバキアに分離しました。

確かにチェコ人とスロバキア人は同じスラブ系ですが、オーストリア＝ハンガリー帝国では、チェコはオーストリア、スロバキアはハンガリーに属しており、政治的関係は薄かった。

しかも、チェコではドイツ人が人口の三割を占めていました。なかでもズデーテン地方ではドイツ人が多数派であり、チェコスロバキア全体でも人口の二割がドイツ人でスロバキア人よりも多かった。人口だけでいえば、実情はチェコスロバキアというより「チェコゲルマニア」（Stolfi, *Hitler*）でした。

また、スロバキアではハンガリー人が二割を占め、さらにスロバキアの東端にはウクライナ人が住むカルパト・ウクライナがありました。

このように多民族国家チェコスロバキアにおいて、被支配民族となったドイツ人、ハンガリー人、ウクライナ人はもとより、対等のはずのスロバキア人でさえも、全体の人口の半分を占め国政を牛耳ったチェコ人への反感は強かったのです。

したがって、冷戦が終わると、あっけなくチェコとスロバキアに分裂したのは必然だともいえます。

戦間期、ポーランドとチェコスロバキアは、フランスのジュニア・パートナーとして対独包囲網を構成していたため、仲が良さそうにみえますが、違います。ポーランドはむしろ、チェコスロバキアと対立するハンガリーに近かった。ソ連寄りのチェコスロバキアに対し、ポーランドとハンガリーは反ソで一致していたからです。

今日でも、セルビアはロシア寄りですが、ドイツとロシアを牽制するために、東欧諸国は戦間期も冷戦終結後も親米です。東欧諸国間の関係は昔も今も複雑です。

川口：夏に、日本から来た友人たちと一緒にチェコに遊びに行きましたが、案内のチェコ人の青年が説明してくれたある絵画が、印象に残りました。一九世紀の豪奢な宮殿でのパーティーを描いた図柄の油絵だったのですが、当時のセレブはフランス人やドイツ人だけで、チェコ人やポーランド人は二級市民扱いされており、こういう高級な社交場には入れてもらえなかったと言っていました。ただ、その絵のなかにポーランド人である作曲家のショパンがいたので聞いてみたら、「ショパンの父親はフランス移民だったからかな」と。ヨーロッパの歴史も複雑ですね。その彼に、今でも二級市民扱いされている気がするかと、聞いてみたい気がしました。

イギリスはヨーロッパではない

福井：ヨーロッパを分析するうえで多くの日本人が誤解しているのは、イギリスの立ち位置です。イギリスはヨーロッパのなかでは「外様」であり、ドイツとフランスが主導権を争う欧州大陸を外部から干渉するロシア、アメリカに近い存在として位置づけたほうがいいでしょう。

実際、第一次大戦後に唱えられた「汎欧州構想」でもイギリスは含まれていませんでした。また今のEUの前身であるEEC（欧州経済共同体）が一九五八年に発足した際にも、最初

シャルル・ド　ゴール
写真は1942年の将軍時代

ウィンストン・チャーチル

の加盟国はフランス、西ドイツ、イタリア、オランダ、ベルギー、ルクセンブルクの六カ国であり、イギリスは参加していなかったし、EU加盟後も自国通貨ポンドにこだわりユーロを採用しませんでした。

川口：ユーロだったら、絶対にEUから足抜けできません。そういえば、イギリスはEECにも遅れて入っていますね。

福井：イギリスがEECに入れなかったのは、フランスのシャルル・ドゴールが反対していたから。実際、イギリスがEEC加盟を認められたのはドゴール死後の一九七三年でしょう。

イギリスで最初に「欧州合衆国」（United States of Europe）創立を唱えた一人として取り上げられるのは、かのウィンストン・チャーチルですが、その彼自身がイギリスは欧州に含まれないと明言している（『タイムズ』一九四六年九月二〇日付）。

「欧州ファミリー再興の最初のステップは、フランスとドイツの連携でなければならない。これが実現してはじめて、フランスはその欧州における道徳的・文化的リーダーシップを回復できる（略）。

英国、英連邦、力強い米国、そして、私はそうだと信じているけれども、ソビエト・ロシア（略）は、新しい欧州（new Europe）の友人であり後援者であるべきだし、その生きる権利を擁護せねばならない」

要するに、イギリスは、米ソとともに、欧州合衆国のスポンサーの立場を担うだけで、自らがメンバーとして参加することなど、チャーチルの念頭にはなかったということです。

実際、欧州大陸国家からすれば海洋国家イギリスは攪乱（かくらん）要因でした。というのも、イギリスは欧州二大国であるドイツとフランスの連携、あるいはナポレオンのように大陸を統一しようとする存在は自国の国益を脅かすと考え、欧州内の対立を利用しようとしてきました。イギリスはヨーロッパに含まれないと考えたほうがよいのかもしれません。

ウクライナ戦争においても、イギリスはアメリカの代弁者として、対露強硬路線を前面に出し、他のＮＡＴＯ諸国と一線を画しています。

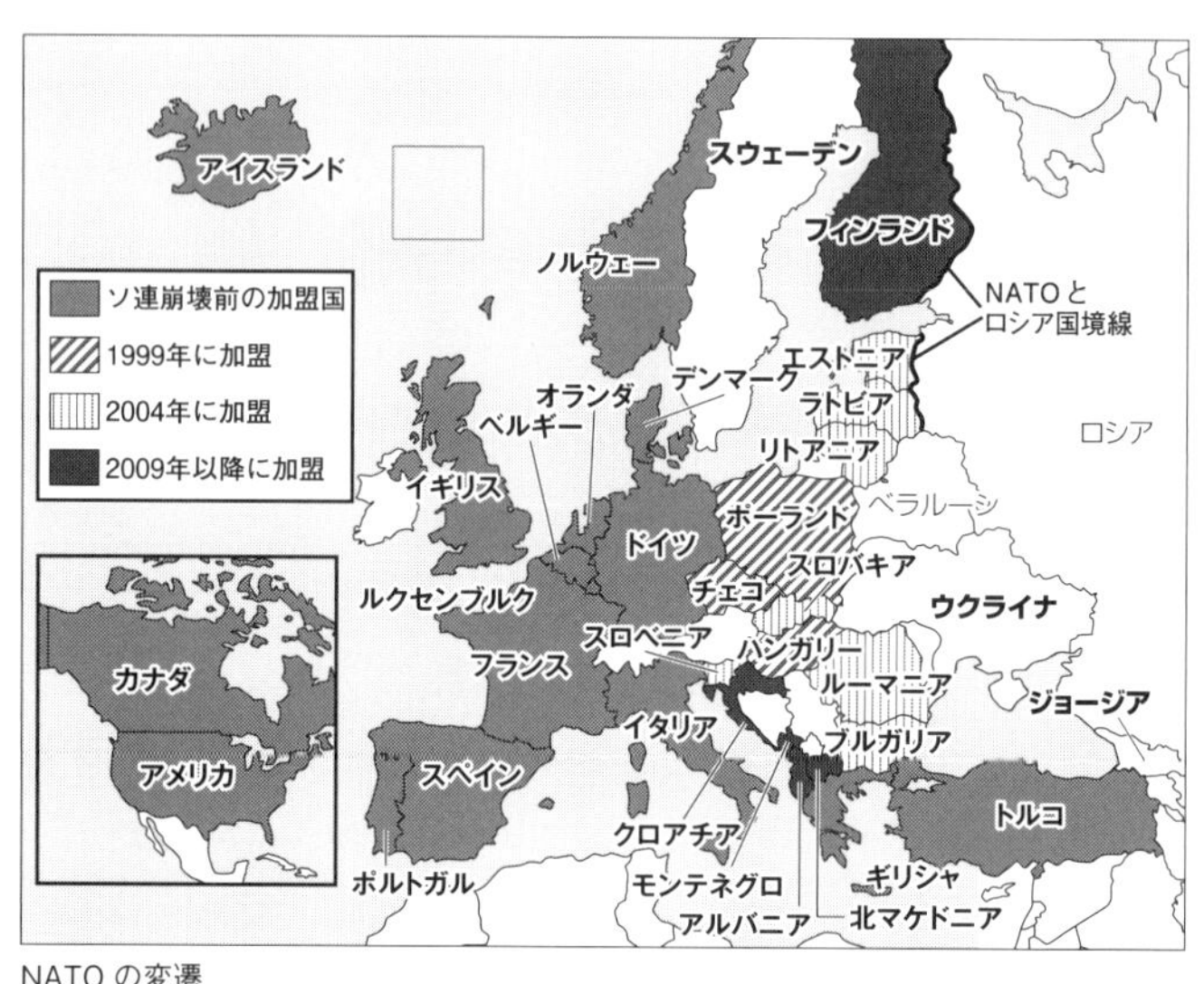

NATOの変遷

もっとも、第一次大戦まで世界最強の海軍を背景に、七つの海を支配した大英帝国は、二つの世界大戦を経てアメリカのジュニア・パートナーに成り下がってしまった。

川口：独仏は一生懸命仲良くしようといまだに努力していますが、心からとはいかないようです。

しかし、もっと仲の悪そうなのが英仏で、過去にはドゴール大統領が、核実験に文句を言われたことを怒って、NATOから脱退してしまったほどです。NATO復帰は二〇〇九年のニコラ・サルコジ大統領のときですよ。

英米の悪夢「独露連携」

福井：冷戦後、唯一の超大国となったアメリカからすれば、ドイツとロシアの協調は悪夢でしょう。ロシアからエネルギーを安定的に確保できれば、ドイツはアメリカに依存しない経済圏を確立できる。実際にドイツがそのような戦略を持っているかどうかはともかく、アメリカはそれを恐れています。

日本と違ってドイツの保守派は一九世紀以来親露派が多い。一方、カトリックのコンラート・アデナウアー初代首相は反プロイセンで、米英仏と組むことを明確にし西ドイツの復興を成し遂げた。冷戦期はこうした考えが基本となりました。しかし、西側とは独立した中欧という考え方は根強く残っており、それを実現するためロシアとの協調を望む声があるんですね。

川口：AfD（ドイツのための選択肢）はそう主張してますよね。先にお話しした左派党のヴァーゲンクネヒトもそうです。SPD（ドイツ社会民主党）もウクライナ戦争が始まるまでは完全なロシア派でした。今でも心のなかはそうでしょう。

CDUのメルケルも表向きはプーチンと対立しているようですが、実は親露派でした。というより実際ロシアと組んでいましたよね。

福井：東独駐在の元KGB工作員プーチンとはドイツ語とロシア語で通訳を入れずにサシで会談をしていたくらいです。

川口：二人は、通訳がつかない場面では、周りにいる人がわからないほうの言葉で話していたとも言われていました。

福井：一方、ロシアもドイツとアメリカや英仏は切り離しておきたい。

独露連携はイギリスやフランスにとっても悪夢ですが、一番嫌がるのがポーランドです。アメリカはポーランドを使って独露両国を、ポーランドはアメリカを使って独露を牽制しようとする。どの国もみんなずるい（笑）。

川口：ノルドストリームの破壊は独露両国の連携を断ったという意味では大成功です。そもそもアメリカはノルドストリーム2の敷設に強硬に反対していました。ドナルド・トランプ大統領が、建設に参画した企業には制裁措置をかけると言ったので、すべての企業が撤退してしまい、最後の一四〇㎞ほどを残して、工事が頓挫。メルケル首相がトランプを蛇蝎のように嫌っていたのは、せっかくのノルドストリームの建設を阻止されたことも大きいと思います。

ところが、二〇二一年一月、大統領がバイデンに変わって、五月にメルケル首相と会った途端、アメリカはあっさりと制裁を解除してくれました。メルケルはどんな取引をしたのでしょうね。
ノルドストリーム2が完成すれば、ノルドストリームの年間輸送能力が一一〇〇億㎥と二倍になり、ロシアへのエネルギー依存率が、それまでの五五％から七〇％に増えるといわれていましたから、まあ、それはそれで問題でした。

福井：ただロシアは単なるビジネス以上に、ドイツとの関係を良好にしたいと思っていたはずですよ。

川口：そうですね。それがアメリカには許しがたかった。ロシアのガスがEUに脈々と流れ、その蛇口をドイツが握って両国がますます繁栄する。これは絶対に許せない、と。

福井：結局爆破したわけです。しかも二〇二二年の一月の時点で、当時の米国務次官で現副長官代行となったネオコンのビクトリア・ヌーランドが「もしロシアがウクライナに侵攻すれば、いずれにせよノルドストリーム2を止める」という主旨の発言をしていました。さらに翌二月にはバイデンが「ロシアがウクライナに侵攻した場合、ノルドストリーム2を閉鎖する」と同様の発言を繰り返しています。
あからさまな主権侵害発言に対し、記者が「ドイツ管轄のパイプラインをどうやってアメリカが閉鎖するのか」と質問すると、「約束する。私たちにはそれができるだろう」と自分たちが破壊するようなことを言っていました。ドイツも舐められたものです。

川口：ショルツ首相は水に落ちた犬のように神妙に、それを聞いていたのですよ。

福井：ノルドストリームの爆破は米英にとってだけでなく、ポーランドにとっても好都合です。ノルドストリームがあるとロシアから陸路ポーランドを経由してドイツに至る石油パイプラインの通過料が取れなくなりますからね。

ヨーロッパの二大強国であるドイツとフランスが主導権争いを繰り広げ、米英露の介入でパワーバランスが変化するなか、欧州各国がそれぞれの思惑で権謀術数を繰り広げるのが、一九世紀ドイツ統一以来のヨーロッパ情勢です。

ドイツの文化は〝遅れた〟東にあり

川口：私はドイツにはもう四〇年以上住んでいて、四年前に三八年間も暮らしていたシュトゥットガルトから旧東ドイツであるライプツィヒ市に引っ越しました。

ライプツィヒはザクセン州に属し、過疎化、高齢化の旧東ドイツのなかでは珍しく人口が増えており、現在の人口は六〇万五〇〇〇人と、ザクセンの州都ドレスデンよりも五万人近く多い。出生率もV字回復中という元気な町です。

私はこれまで漠然とドイツのことは知り尽くしているような気になっていたのですが、全然そうではなかったのだということをライプツィヒに住んで気づきました。

まず、肌で感じたのが、そもそもドイツの中心は、東にあったのだという歴史的事実。なかでもライプツィヒは、学問、商業、芸術、どれをとっても、まさにその頂点を極めた町だということがわかります。その名残は、今も街のそこかしこに色濃く残っていますし、特に音楽家にとっては聖地のようなところです。

たとえば街の中心にある、作曲家バッハが二五年も音楽監督をしていたトーマス教会では、当たり前のように礼拝やコンサートが行われているし、通りがかった建物にさりげなく貼ってあるプレートを見ると、「クララ・シューマンの生家」などと書いてある。ワーグナーが生まれたのもライプツィヒだし、ここの音大はドイツで一番古くて、しかも、最初の学長がメンデルスゾーンです。

ライプツィヒ大学の入口ホールには、哲学者ライプニッツや、メビウスの輪で有名な数学者メビウス、ゲーテやニーチェなどの胸像がずらりと並んでいます。みなここで教鞭をとったり学んだりした人たちです。胸像はありませんけれど、メルケル前首相もこの大学の卒業生です。

また、街の中心の、入り組んだ建物の間に残っている「パッサージュ」と呼ばれるアーケードは、過去に裕福な商人たちが品物を展示した場所で、当時の瀟洒（しょうしゃ）な商館を彷彿とさせます。圧巻は音楽会。東独時代の四〇年間、西に比べて娯楽が少なかったからでしょうか、人々が愛し、守り続けた伝統が、今もなお頑固に受け継がれているかのようで、純粋に、音楽を聴くために人々が粛々と集まってくる。人間の息遣いが感じられるのです。

しかも、ゲヴァントハウスの演奏会もオペラも素晴らしい出来栄えで、街のストリートミュージシャンまで惚れ惚れとするレベルです。私はオペラファンで、シュトゥットガルトでもしょっちゅう通っていましたが、私がそれまで聞いていた音楽がデジタルなら、ライプツィヒはアナログのような、なんだか不思議な感覚にとらわれました。とにかく、ライプツィヒの音楽ファン層は、極めて重厚ですね。シュトゥットガルトでは、音楽会に行くのがステータスと思って、社交の一環として来ていた人たちも結構いたように思います。

シュトゥットガルトは戦前までは貧しい土地で、自動車産業やＩＴ産業の勃興などつい最近の話。ライプツィヒの長い栄華とは比べようがない。

東独時代にはすべてが煤（すす）けて見すぼらしくなっていたんでしょうけど、街の中心のところはすっかり修復されていますから、威風堂々としています。そして、その建物と空気に、何世紀分もの歴史が澱のようにへばりついている。

シュトゥットガルトは、自動車の町で、ベンツとポルシェの本社があります。当然、その関連会社も山ほどあり、景気は良く、人々は自信満々で、地価の高騰さえ自慢の一つにしていました。そして、西の人間の例に漏れず、たいてい東を少しだけ見下していたんですね。でもライプツィヒに実際に来てみて、私は西の人間が東を見下すのはまるでお門違いだと思うようになりました。

ドイツの主な州

福井：東ドイツは、元はプロイセンの中心部ですからね。一九世紀にオットー・ビスマルクが成し遂げた統一ドイツの中心はプロテスタントのプロイセンで、西ドイツというのはカトリックが多い西側を切り取ったかたちとなりました。今はドイツとポーランドの国境が首都ベルリンに寄っていますが、これは両大戦の結果旧プロイセンの多くをポーランドが取ったからで、かつては現在一部がロシア領となっている東プロイセンまでドイツだった。

日本人はあまり意識しませんが、同じドイツとはいってもライン川のほうのフランスに近い西側とベルリンなど東側は違う文化です。ドイツ統一からまだ一五〇年くらい。同じカトリックのミュンヘンを中心とするバイエルンとオーストリアがどうして別の国になったのか、偶然の要素が大きかった。

地図で見るとよくわかりますが、ライプツィヒやドレスデンはミュンヘンやフランクフルトよりチェコのプラハのほうがよほど近い。プラハはオーストリアのウィーンよりも西にあって意外にドイツに近いんです。モーツアルトとも縁が深い。第一次大戦前までプラハというのはドイツ文化圏の一大中心地でした。

したがって、同じドイツといっても違う文化であったり、今は別の隣国にもドイツ文化の影響が色濃く残っていたりする。島国の日本人にはなかなかわかりづらい世界です。

川口：本当ですね。旧東独でもこれだけの発見がありましたが、さらにチェコやポーランドへと東征すると、毎回、知らなかった歴史に圧倒されるところがあります。本書でその面白さを伝えられたらいいですね。

第1章 民族「追放」で完成した国民国家

全権委任法成立後に演説を行うヒトラー（1933年3月）
イスラエルでの裁判を受けるアドルフ・アイヒマン
リヒャルト・クーデンホーフ

愚かなナショナリズム批判

福井：私は『教科書には書けないグローバリストに抗したヒトラーの真実』（ビジネス社）で、第二次大戦開戦の責任をすべてヒトラーに押し付ける今日の正統歴史観に、事実に即して疑問を呈しました。ウクライナ戦争におけるプーチン同様、ヒトラーにすべての責任を押し付けることは、ソ連のスターリン、イギリスのチャーチル、アメリカのフランクリン・ルーズベルトの責任を見えなくしてしまいます。さらに、第一次大戦後の帝国崩壊と民族自決原則の高唱から、戦間期の混乱を経て、第二次大戦後の国民国家体制確立による冷戦期の安定と、冷戦後のEUの移民推進政策による再度の混乱という大きなヨーロッパ近現代史の流れがわからなくなってしまいます。

第二次大戦後、ヨーロッパ情勢が安定し、EUが成立するまでに至ったのは、アメリカの歴史家ジェリー・ミュラーが指摘しているように、国境の変更に合わせて強制された民族の大移動によって、一部の例外を除き東欧で国民国家体制が成立したからです。グローバリズムではなく、ミュラーのいうエスニック・ナショナリズムが安定の背景にあるのです。つまり、「国民国家の確立＝ヨーロッパの安定」があってのＥＵであって、その逆ではないのです。それなのに、経済界や言論界で主流となった広い意味でのグローバリストは、ナショナリズムを悪とみなし、あるいは幻想にすぎないと主張することで、過去の遺物として無効化できると過信しているのです。しかしナショナリズムを否定すれば、政治体制は不安定化し、グローバリストが望む円滑な国際間の経済取引も維持できなくなってしまうでしょう。

川口：確かにナショナリズムという言葉自体が、ＥＵのエリート国の間ではよからぬものとされています。ドイツメディアが〝ナショナリスト安倍〟と書く場合は、完全な悪口。ところが、皮肉にもナショナリズムを撲滅しようとしているそのＥＵで、ナショナリズムが復活しています。ポーランド、ハンガリーはもちろん、スウェーデンやイタリアでもすでに右派が政権を握っており、オランダやデンマーク、オーストリア、そしてルペンが登場したフランス、そしてドイツでも、右派はかなりの力を持っている。

国家としての誇りや自立を強調する彼らの考え方は、「ヨーロッパは一つ」というＥＵの理念とは相容れない面があり、だから、それを好まない勢力がそれらを極右と決めつけて、その台頭を非常に恐れています。

ただ、二〇二三年一〇月一五日のポーランドの総選挙では、ナショナリストたちの政党といえるPiSが最大票を取りながらも、現在、まだ連立交渉中ですが、おそらく連立相手がおらず、政権を失うことになると思います。今後、ポーランドはポーランド民族のカラーを弱め、EU市民という観念の下、かなり急激に左傾するかもしれません。ポーランドに限らず、世界中には左傾が民主化だと思っている人がたくさんいます。多くの人が若いとき、一度左翼にかぶれるのと、ちょっと似ている気がします。

福井：ヒトラーが目指したのもドイツ民族の共同体であり、シオニストと呼ばれる、同化に反対しパレスチナにユダヤ人国家建設を目指したユダヤ人も、一九世紀以来のナショナリズムの高揚が、その背景にあります。そして、戦後に東欧が安定したのは、ヒトラーの意図とは異なるかたち、ドイツ人が追放されたことで国民国家化が進んだからです。

そのことを示すためにも、「歪んだ人種理論に基づき、武力による世界征服を目論(もくろ)み、最終的にドイツを破滅に追い込んだ狂信者」というヒトラーに対するまさに今のプーチンに貼り付けているような一方的なレッテルを剥がし、彼が何を成し遂げようとして挫折したのかを、事実に即して見る必要があります。

あらかじめ申し上げておきますが、私は、ヒトラーは良いこともしたのか、あるいはしなかったのか、といった発想で過去を称揚あるいは断罪するのではなく、可能なかぎり過去を客観的にとらえる努力を行い、価値判断は読者に任せることが、歴史研究には不可欠だと考えています。ヒトラー支持者研究の第一人者であるユルゲン・ファルターが指摘しているように、価値中立的立場から歴史を研究することは、分析対象を肯定することでもなければ、その行為への同意でもありません。

川口：まさにそれがドイツではできません。もし、中立的なヒトラー研究が行われたとして、それを知った国民が、「ヒトラーのすべてが悪かったわけではない」とか、「多くの国民は、強制されたのではなく、自発的にヒトラーを支持していた」などという意見を持つことになっては困るからです。だから、ヒトラーにはあらかじめ「絶対悪」の烙印が押されていて、少しでも肯定的な面を醸し出せば、その研究者は間違いなく攻撃を受けます。下手をすれば、刑法に引っかかるかもしれない。だから、研究だけは許されているといいながら、実は禁止されているようなものです。研究を発表する場所もないでしょう。もちろん、国民はこれに関しては、完全に情報封鎖の憂き目にあっています。

反帝国主義＝民族自決という必然

福井：第一次大戦後の欧州大陸内の対立の根本的原因は、帝国の時代が終わりを迎え、「民族自決」が時代精神となったことによる混乱にあります。それぞれの民族が独自に国民国家を形成することが理想ということになれば、多民族国家の正当性が揺らぐ事態となります。

たとえば、多民族帝国であったオーストリア＝ハンガリー。帝国内にはそれぞれの民族が地域ごとにまとまって住んでいたわけではなく、一つの国家ですから当然混住していました。その結果、第一次大戦後に独立した中東欧諸国は、それぞれが国民国家とはならず、小さな「多民族国家」がいくつも存在することになった。それが自国内の民族間対立、ひいては隣国との火種を生んだのです。

第二次大戦開戦につながったポーランドとドイツの対立の根底にあったのもこれです。第一次大戦中に米大統領のウッドロウ・ウィルソンがポーランドに「海への出口を確保する」と約束した通り、ドイツ領ながらドイツ人とポーランド人が混住する西プロイセンとポーゼンがドイツから切り離されてポーランド領となりました。加えて、ほとんどドイツ人だけの都市ダンツィヒがドイツから切り離され、国際連盟とポーランドの共同管理下で住民自治が行われることになりました。そのため、ドイツにとどまった東プロイセンが本土と離れ離れの飛び地となってしまったのです。

さらに、住民投票により帰属を決定することとなっていた上シレジアは、投票の結果、ドイツ帰属賛成が多数となったにもかかわらず、工業地帯の東部ではポーランド帰属賛成が多数だったという後付けの理由で、東部はドイツから切り離されポーランド領となりました。

川口：主人の母方の家族は上シレジアの出身で、義母も義祖母も、戦争末期に、ロシア赤軍のフロントと追いかけっこをするような悲惨な大冒険をしながら、命からがら西ドイツに逃げ延びました。祖母はちょうど一九〇〇年の生まれで、今、福井さんのご説明に出てきたように、自分の住んでいる土地が、ポーランドになったり、ドイツになったりというのを、我が身で体験したわけです。私は、祖母が生きていた頃、母に手伝ってもらって、彼女の思い出話をテープに録音し、それをまとめたものが一九九五年に草思社から『あるドイツ女性の二十世紀』というタイトルで上梓されました。まさにヨーロッパの大国の野望と覇権をめぐる争いに翻弄された人生だったと思います。

また、義母の父方の祖父母は早くに亡くなったので、私は会っていませんが、こちらは東プロイセンの出身者でした。ドイツが第一次大戦に負けた後、ベルサイユ条約で西プロイセンがポーランドに取られてしまったので、夏休みに父方の田舎に遊びに行くのに、汽車でポーランド回廊を走ったと母が言っていました。現在、東プロイセンは存在せず、ロシアとポーランド領です。要するに、戦後、西ドイツに逃げた義母の家族は皆、自分の故郷には二度と行けなかったわけです。

福井：第一次大戦後の新生ポーランドは、ポーランド人が過半数を占めたものの、人口の一割を占める欧州最大規模のユダヤ人のほかに、多くのドイツ人・ウクライナ人・ベラルーシ人を抱える多民族国家となったわけです。

ポーランドでは、国際連盟が少数民族の保護を条約上の義務としたにもかかわらず、ドイツ人のみならず少数民族への差別迫害が常態化します。こうしたこともあって、大戦後のドイツでは反ポーランド感情が高まります。戦後ドイツ、いわゆるワイマール共和国は政治的対立で混乱が続きましたが、反ポーランドという点では、共産党から保守政党に至るまで例外的に国論が一致していました。

ところが、カトリックでオーストリア出身のヒトラーは、プロテスタントのプロイセンの伝統的支配層と異なり、反ポーランド感情は希薄だった。戦勝国がポーランドに与えた旧プロイセン領にも思い入れがない。そして、対ソ防衛上、ポーランドを緩衝国家として、ドイツのジュニアパートナーとすることを外交の一つの柱とします。

ワイマール共和国時代の歴代政権が決して認めなかった、大戦後のベルサイユ条約で画定された国境を最終的に承認するという、ポーランドに大幅に譲歩した提案さえしています。一九三八年九月、英仏独伊の首脳によるミュンヘン会談で、チェコのズデーテン地方のドイツへの割譲が決まりました。実は同時に、ポーランドも数度にわたりチェコスロバキアに領土割譲を要求し、ドイツが異議を唱えなかったため、併合が実現しました。そして、ヒトラーは同年一〇月二四日、ドイツ・ポーランド間の国境を最終的に確定する提案を行います。

まず、返還後もポーランドの経済権益を認める前提で、ダンツィヒをドイツへ返還する。そのうえで、現状のまま国境を最終的に確定し、ドイツ本土とポーランドにより分断された東プロイセンを連絡するため、海沿いのポーランド回廊と呼ばれる地域に道路と鉄道路線を建設し、ドイツ主権下で管理する。政治的には、すでに結ばれていた不可侵条約を二五年間延長し、ポーランドが日独伊防共協定へ参加するというものです。

ヒトラーがドイツ国内での不満の声を抑えながらここまで譲歩したのは、第一の敵であるソ連と対抗するうえで、反ソ反共国家ポーランドの存在を重視していたからです。

川口：日本ではもちろん、ドイツでもそのような歴史は一切習わないので、普通の人は誰も知りません。私も知りませんでした。そういえば、AfDが時々、当時、ナチが使った言葉をさりげなく使っては、すぐさま政治家や主要メディアから「ナチだ！」と弾劾（だんがい）されていますが、彼らはおそらくこういう歴史解釈を学んでいて、わざと挑発しているのでしょうね。

先ほども言いましたが、こう考えてみると、ドイツの歴史教育はものすごく一方的です。ほとんどの人が、ヒトラーが譲歩しただなんて夢にも思っていなくて、ナチが一〇〇％悪いから、ドイツ人がポーランドに謝り続けなければならないのは仕方がないと考えています。

ヒトラーのビジョン

福井：ではそのような譲歩までしてヒトラーが目指したものは何か。

それは、オーストリアやチェコのドイツ人を含む大ドイツ国家の建設ですが、これはヒトラーに限らず、一九世紀以来、ドイツ人エリートが一様に目指したものです。ヒトラー独自の構想としては、階級社会の打破と社会の平等化が実現された民族共同体

(Volksgemeinschaft) の確立です。ナショナリズムと社会主義を両立する、インターナショナルではなくナショナルな社会主義です。

レーニンの忠実な使徒として世界革命という名の世界征服を目指していたヨシフ・スターリンとは違い、ヒトラーは国民国家の共存を前提とした、一国社会主義者ともいえます。

そして、その戦略として何よりヒトラーが重視したのが、イギリスとの協調であり、台頭するアメリカやソ連と対抗できる、独立独歩のヨーロッパの確立でした。それも、『我が闘争』の続編として一九二八年に書かれたものの公刊されなかった『第二の書』(Zweites Buch) でヒトラー自身が記したように、ドイツがヨーロッパを征服するのではなく、国民国家群が互いに切磋琢磨するヨーロッパというかたちです。

ヒトラーは『第二の書』でアメリカの移民政策も高く評価しています。アメリカは第一次大戦後、移民を北・西欧出身者にほぼ限定する、日本では「排日移民法」と呼ばれている改正移民法を一九二四年に成立させるのですが、ヒトラーはアメリカは「北方ゲルマン国家」(nordisch-germanischer Staat) であることを自覚していると称賛しています。

ところで、ドイツ語の《Volk》は英語にはぴったり対応する単語がありませんね。日本語の「民族」のほうがニュアンスは近い。ですから文化的一体性を示唆する「国民」(Nation)

よりも、人種的要素を含んだ「民族」（Volk）のほうが、ヒトラーを理解するうえでは重要な概念です。

川口： それについて考えたことはありませんが、ドイツでは、《völkisch》という、単に《Volk》の形容形であるはずの言葉が、非常に危険で悪い意味となっていて、AfDの批判などにも使われます。民族の何が悪いかわからず、辞書を引くと、「①民族の」の他に、「②（ナチ政権下の用語として）民族主義的な、国粋的な」と載っています。

ナチを連想するからという理由で消えてしまった言葉というのは他にもあって、たとえば、安楽死を表す専門語の、オイタナズィー（Euthanasie）が使えない。この言葉は、ナチ政権下の一九三三年から四五年までの間に、心身障害者や遺伝病の患者などが大勢「安楽死」させられたという暗い過去を思い起こさせるということで、戦後は獣医学専用になってしまったそうです。

封印されたナチスとシオニストの協力関係

福井： 不倶戴天（ふぐたいてん）の敵とみなしたユダヤ人に対しても、ヒトラーが進めた政策の基本は、望まなかった戦争が始まるまでは、殺害ではなく、秩序だったかたちで行う「追放」でした。同化を否定し純粋な民族共同体を目指すという点ではヒトラーとイスラエル建国を目指すシオニストの見解は一致していました。

シオニストはドイツ国内で比較的自由な言論活動を許され、国民社会主義を除き、シオニズムは「第三ライヒで唯一公認された政治思想」だったのです（Black, *The transfer agreement*）。

川口：だいたい、それまでのドイツでは、学問も芸術も音楽も映画も、ユダヤ人の活躍が著しく、おそらくヨーロッパで一番ユダヤ人が差別されず、生き生きと活躍していたのがドイツです。だから、その後、一九三八年一一月にドイツ全土で起こったユダヤ人排斥事件「水晶の夜」などは、完全にナチのせいでしょうが、いつ頃から、何がどういうふうにひっくり返ったのか、わからないところがあります。

福井：ヒトラー統治下のドイツとシオニストにはある種の「協力」関係があったことは事実です。ヒトラー政権はシオニストと「ハヴァラ（移転）協定」を結び、英委任統治下のパレスチナへのドイツに住んでいたユダヤ人の移住を進めていました。その責任者の一人が、ユダヤ人虐殺に関わったかどで、戦後、イスラエル情報機関に逃亡先のアルゼンチンから連れ戻され、イスラエルで処刑されたアドルフ・アイヒマンです。

今日では「パレスチナ人」と呼ばれる、当時多数派だったアラブ系住民との対立激化を恐れ、ユダヤ人の移住を制限したのはイギリスです。

水晶の夜事件の後も、ドイツは秩序だったユダヤ人の国外移住を続けようとします。一九三八年一二月一五日、ルーズベルトの提唱で設立された国際機関「政府間難民委員会」において、ドイツ国内に住む六〇万人のユダヤ人のうち、老人、女性、子供以外の労働力となる一五万人を、三年間、毎年五万人ずつ移住させるという提案を、ヒャルマル・シャハト無任所相兼ライヒスバンク（中央銀行）総裁がしています。ただし、各国ともユダヤ人受け入れに後ろ向きで、ユダヤ人移住はほとんど進みませんでした。フリーメーソンだったシャハトについては第3章で改めて取り上げます。

このようにヒトラーとユダヤ人の関係は単純なものではなく、少なくとも「ホロコースト」と呼ばれるユダヤ人の組織的殺害への一直線の道ではありませんでした。

また、ほとんど知られていないけれども、ドイツ軍には将軍クラスも含めて、おそらく一五万人を超えるユダヤ人がおり、ヒトラーの兵士として連合軍と戦っています（Rigg, *Hitler's Jewish soldiers*）。さらに、第二次大戦中、指導者アヴラハム・シュテルンの名前から「シュテルン・ギャング」と呼ばれた、シオニスト強硬派の反英地下組織「レヒ」は、ドイツに対英共同戦線を呼びかけていたのです（Yisraeli, *The Palestine problem in German politics1889-1945*）。

川口：アイヒマンといえば、アイヒマン裁判を傍聴したハンナ・アーレントの有名な論文があります（『ザ・ニューヨーカー』誌に発表した後に『イエルサレムのアイヒマン－悪の陳腐さについての報告』としてまとめられた）。この論文で彼女はユダヤ人世界を敵に回すことになります。

彼女の意見を一言でいえば、「アイヒマンは反ユダヤの大犯罪人ではない。思考を放棄し、上からの命令に忠実に従う、ただの凡庸な人間である。つまり、本当の悪は、本当の悪人によってなされるものではない。凡庸な一般人によって引き起こされるのだ」というものです。

ハンナ・アーレント

アーレントは、ナチによって引き起こされた事実を、生き残ったユダヤ人が冷静に判断することを期待した。ユダヤ人が感情的になり、復讐心を満足させようとすることを嫌った。ヒトラー以後の世界では、ナチを絶対悪と見て、ユダヤ人を絶対的な善と見ることが正しい見方とされており、そこにアーレントはブレーキを掛けようとした。ものすごい勇気だと思いますが、まさにその試みがユダヤ人の逆鱗(げきりん)に触れてしまったのです。

開戦責任はヒトラーだけではない

川口：第二次大戦の開戦理由は、ドイツでも日本でも、ヒトラーのポーランド侵攻が引き金となり英仏との戦争に突入したからだと教えられています。

福井：一九三九年九月一日にポーランドを攻撃したのはドイツなので、ヒトラーに開戦の責任の一端があることはいうまでもありません。

加えて、一九三九年三月にチェコ（ボヘミア・モラヴィア）を併合したことは、第一次大戦後の国際的潮流であり自らの旗印でもあった民族自決原則に反し、英仏両国との対立を深刻なものにしました。

ただ一方のポーランドも、ソ連だけではなく、ヒトラーの提案を拒絶することでドイツも敵に回し、両大国に挟まれ孤立していた。一見、きわめて弱い立場であったにもかかわらず、なぜあれほどまでドイツに対し強気で出られたのかといえば、英仏さらにはアメリカがバックについていると信じていたからです。

チャーチルに代表されるイギリス内の「対独強硬派」と、アメリカのルーズベルトがポーランドをけしかけ、ドイツとの戦争に向かわせたと言ってもよい。しかも最終的にはポーランドは梯子（はしご）を外されたのです。

ルーズベルト政権は、反ヒトラーの独外交官を通じて独ソ不可侵条約秘密議定書の内容を知りながら、ポーランドに伝えませんでした。それどころか、開戦前日の八月三一日、ルーズベルト側近で米ヨーロッパ外交の実質的責任者だったウィリアム・ブリット駐仏大使はポーランドのユリウシュ・ウカシェヴィチ駐仏大使に、信頼できる情報によれば、独ソ交渉ではポーランドとルーマニアは取り上げられておらず、秘密議定書はバルト三国に関するものだと伝え、ポーランドを「安心」させていたのです。このことはウカシェヴィチ大使本人が戦後に回想録で明らかにしています。

英仏の軍事支援に加え、ソ連の介入はないとポーランドは信じ込んでしまったのです。

川口：その後の現実は独ソ不可侵条約を結んでいたドイツが九月一日にポーランドに侵攻したのに続き、一七日にソ連が侵攻した。あえなく独ソ両国にポーランドは分割されました。

それでも今のポーランドがあそこまで米国好きなのは、ちょっと理解し難いところがあります。

チャーチルも第二次大戦の敗者

福井：第二次大戦に至る国際情勢の大きな流れをまとめると、米ソの干渉を排除し、ヨーロッパの四大国である英仏独伊の協調を維持しようとするネビル・チェンバレン首相を中心とするイギリス「対独宥和派」、ヨーロッパからのアメリカ排除に対抗するため、欧州第五の国家であるポーランドを利用するルーズベルトのアメリカとドイツを叩き潰したいチャーチルを中心とするイギリス「対独強硬派」、そしてヨーロッパひいては全世界の共産化をもくろむスターリンのソ連、ということができます。

一九二五年にイギリス、フランス、ドイツ、イタリア、ベルギーの間で結ばれた「ロカルノ条約」は、本来の意味での欧州宥和の象徴です。今日では、チェンバレンの宥和政策といえば、ヒトラーに対する屈服であり弱腰外交として、侮蔑的意味が込められていますが、本来は違います。そもそも、宥和とは相手を宥めるための手段ではなく目的であり、国際社会のあるべき状態を示すものです（Niedhart, *Historische Zeitschrift* 226巻1号）。「欧州全体を宥和する（appease）まで、貿易、ビジネスそして雇用を回復することはできないと信じている」という第一次大戦を勝利に導いたデビッド・ロイド・ジョージの言葉通りです。ロカルノ条約は、基本的にベルサイユ条約を追認する内容ではありますが、英仏独伊の欧州四大国による集団安全保障体制として、欧州の問題はあくまで欧州内でというスタンスで、国際連盟の枠外で行われたことが重要です。大国間の協調で国際問題を処理するという、一九世紀の「欧州協調」（Concert of Europe）の復活であり、本来の意味での「宥和」の始まりです。

イギリス国内には親独派も少なくありませんでした。たとえば、国の内外で人気のあった皇太子エドワードは、その親独姿勢を隠そうとしなかった。反対に、ドイツ国内には伝統保守派を中心に、ヒトラーの政権獲得後も、反ヒトラー勢力が影響力を持っていました。こともあろうに伝統保守派はイギリスの対独強硬派と組んでヒトラーを失脚させようとします。しかし、チャーチルなどのイギリス対独強硬派は反ヒトラーなのではなく反ドイツだったのです。

ルーズベルトはイギリスの対独強硬派を支援して英独を離反させ、ポーランドを利用して、イギリスをドイツとの戦争に引きずり込んだともいえます。第二次大戦によって、すでに下り坂だった大英帝国はとどめを刺されました。チャーチルはルーズベルトを利用するつもりで、実際には利用されたわけです。

第二次大戦後、米ソの二極支配が確立し、アメリカのジュニア・パートナーに落ちぶれたイギリスは、ある意味、第二次大戦の敗者であるともいえます。

ではスターリンのソ連はどうか。まず、スターリンはウラジーミル・レーニンの忠実な使徒であったということを忘れてはなりません。

レーニンは第一次大戦後の国際情勢を分析した結果、資本主義国家間に存在する三つの対立を徹底的に利用し、世界革命を実現する戦略を立てました。日本とアメリカの対立、アメリカと欧州大国の対立、そして、ドイツと戦勝国の対立です。

ウラジーミル・レーニン

このような資本主義国家間の対立を煽り、互いに戦わせ、戦争で弱体化したところに最後の一撃を加えるのが、レーニンとスターリンのシナリオです。

スターリンはこのシナリオに沿って行動します。日米対立に関してはスターリンの完勝といってよいで

ヨシフ・スターリン

しょう。日本を中国での泥沼の消耗戦に引きずり込み、日本の対外政策を反ソから反米英に向けさせることにも成功しました。アメリカ国内でも、対日戦実現に向けたスターリンの工作が展開され、好都合なことにルーズベルトという「パートナー」の存在もあって、スターリンの思惑通り、日米は激突しました。

しかし、ヨーロッパでは、スターリンの思い通りに事態は進みませんでした。英仏とドイツの戦争を実現させたものの、フランスの予想しなかった早期敗北で計画が狂い始め、スターリンは最後の段階で、ヒトラーに対ソ先制攻撃を許すという、決定的失敗を犯してしまいます。

資本主義国同士を戦争で疲弊させたうえで、最後にとどめを刺すつもりだったのに、ソ連は対独戦の主役を引き受けなくてはならなくなり、第二次大戦参加国中、最大の犠牲を被る羽目になりました。

第二次大戦の真の勝者はアメリカです。他国に比べると圧倒的に少ない犠牲で、日独を打倒し、イギリスを追い落として、最大の覇権国となりました。この大戦で極度に疲弊したソ連は、米ソ二極支配とはいえ、最初から大きなハンデを負うこととなり、最終的に冷戦に敗れ、アメリカの一極支配が完成しました。

川口：これほど多くの利害が絡まった状況なのに、福井さんの分析は、胸がすくほど単純明快です。でも、こう見ていくと、日本は先の大戦で主役でなかったことがわかりますね。というか、アジア全体が脇役だったのでしょうか？　四年も戦い抜いてあれだけ大きな犠牲を出したことを考えると何だか複雑な気持ちになります。しかも、GHQの影響は、いまだに後遺症のように残っています。

フランクリン・ルーズベルト

冷戦時代に成功した東欧の国民国家化

福井：ヒトラーの大ドイツ建設が失敗し、戦後ヨーロッパにおいて民族主義が低迷するかに見えましたが、ヒトラーの意図とは違ったかたちで国民国家化が進んだことはすでに述べました。この点については、ＣＦＲ（外交問題評議会）の機関誌『フォーリン・アフェアーズ』に掲載された前述のミュラーの「我々と彼ら」（二〇〇八年三・四月号）が参考になります。

第一次大戦後との大きな違いは、国境を移動させるだけでなく、国境に合わせて人口を強制的に移動させたことです。実際、一千万人を超える人々が移動しました。

そのような流れを生み出した大きな理由の一つが、戦勝国である米英ソの首脳が、ドイツ人をドイツ以外の国から追放することが戦後秩序を安定させる不可欠の条件とみなしたからです。

一九四四年一二月一五日、チャーチルは英議会で、新しくポーランド領からドイツ人を西あるいは北に追放せねばならないとして、こう述べました。

「追放こそ、我々が見通せる限り、最も満足できかつ永続的な方法であろう。かつてアルザス・ロレーヌ地方［独仏の係争地］がそうであったように、終わりなきトラブルを生む民族の混住は解消される。一掃すること（clean sweep）が成し遂げられる」

また、チャーチルは追放に伴う混乱を心配することはないとして、第一次大戦後のローザンヌ条約に基づくギリシャとトルコの住民交換に言及しています。

「先の大戦後に行われたギリシャとトルコ間の混住解消は多くの点で成功であり、それ以降の両国の友好関係を生み出した」。

川口：「ローザンヌ条約」とは、第一次大戦後に起きたギリシャ＝トルコ戦争にトルコが勝利したことにより、連合国との間で一九二〇年に結ばれたセーブル条約を破棄して、一九二三年に改めて結ばれた条約ですね。これにより、最終的にトルコは一五〇万人近くを、ギリシャは四〇万人近くを追放した。

ちなみに、トルコにクルド人問題があるのは、セーブル条約では認められていたクルド人の独立が、ローザンヌ条約では触れられていなかったため、独立が破棄されたことに起因します。移民問題のところで話しますが、セーブル条約からちょうど百年後の今、クルド人問題が日本でも話題になっているのは皮肉な偶然ですね。

福井：国際連盟が関与し、ある程度秩序立って行われたギリシャ人とトルコ人の交換と異なり、ドイツ人の場合は悲惨でした。第二次大戦末期から、一千万人以上のドイツ人がポーランドに併合された旧ドイツ領だけでなく全東欧から着のみ着のままで追放され、その過程で二百万人以上が亡くなりました（de *Zayas, A terrible revenge*）。ポーランド人もソ連領となった東部から国境が全体として西に移動したポーランドに強制的に移住させられました。このような悲劇を経て、中東欧の国民国家化が成し遂げられたのです。

大戦後、例外的に残った多民族国家のチェコスロバキア、ソ連、ユーゴスラビアも、冷戦が終わると、分裂します。チェコスロバキアはチェコとスロバキアに平和的に分裂し、ソ連もバラバラになりました。

ユーゴスラビアでは内戦を経て、民族ごとに新国家が誕生しました。反対に東西ドイツは予想外に早く統一を成し遂げました。

もはや過去のものと思われていたナショナリズムの力です。

川口：ただ、東西ドイツ統一の感動は、激しく燃え立ったわりには、一瞬で覚めました。ドイツ人って、本当に冷めやすい。今では多くの人々は、何故あんなに感動したんだろうと首を傾げていると思いますよ。しかも、奇しくもそれ以来、EUの住人はナショナリズムを捨て、国籍不明のEU人になることを期待され続けています。戦後、追放という大きな痛みをともなってようやく手に入れた国民国家でしたが、もう、それを覚えている人もいないし、東欧など、比較的国家観の強い地域でも、若い人たちは、EU化というグローバリズムに憧れています。もし、軌道修正がされるとすれば、その弊害がどうしようもない規模まで膨らんでしまってからでしょう。たとえば、今のスウェーデンのように（第6章参照）。

真のヨーロッパの理想

福井：今のEUの源流ともいえるのが、第一次大戦後にヨーロッパで大きなうねりとなった「汎欧州」（パン・ヨーロッパ、Pan-Europa）構想です。その提唱者は、リヒャルト・クーデンホーフ＝カレルギーという当時はまったく無名だった青年です。彼はオーストリア貴族を父に、日本人女性を母として東京で生まれました。

クーデンホーフは一九二三年に出版した『パン・ヨーロッパ』で、アメリカ合衆国にならった「欧州合衆国の設立」を説き、ヨーロッパ各国の排外的ナショナリズムを厳しく批判しています。しかし、EUを主導する今日の超国家的グローバリズムを志向する政治エリートとは異なり、クーデンホーフは、「血の共同体」ではなく文化をともにする「精神の共同体（Geistesgemeinschaft）」としての「欧州民族（europäische Nation）」の独自性を積極的に肯定します。

クーデンホーフは欧州レベルでのナショナリストであると同時に、欧州を構成する各民族の独自性も尊重していました。「西洋の（abendländische）文化的統一は、言語的・政治的にいくつかのグループに分かれた、一つの欧州民族について語る権利を我々に与える。この汎欧州文化感情（Kulturgefühl）を浸透させることに成功すれば、すべての良きドイツ人、フランス人、ポーランド人、そしてイタリア人は、同時に良き欧州人であり得る」と。そして、「西［米国］も東［ロシア］も欧州を救いはしない。ロシアは欧州を征服しようとし、米国は買収しようとする」と述べ、欧州外からの介入をきっぱりと拒絶します。

このクーデンホーフの欧州合衆国構想には、イギリスが含まれていません。とはいえ、決して反英ではありません。むしろ、ゲルマン語（ドイツ語やオランダ語など）とロマンス語（フランス語やイタリア語など）の中間に位置する英語こそ、汎欧州の共通語に相応しいと述べています。加えて、将来、大英帝国が崩壊した場合、英本国（とアイルランド）が汎欧州に参加することは否定していません。ただし、イギリスがヨーロッパよりも、言語と血および文化でつながった北米との結びつきを選ぶ可能性が高いことも見越していました。

クーデンホーフは理想家であると同時に、現実の政治を直視するリアリストでもあったのです。さらに、今もそうですが当時もドイツ国内で根強い支持があったロシアとの提携を「欧州の将来にとって最大の危険の一つ」とみなしていました。ライン川（ドイツ西部国境）が欧州の東部境界となれば、「残りの欧州はアングロサクソンの保護（Protektorat）に依存したトルソとなり、汎欧州理念は永遠に葬り去られる」という冷静な認識に基づきます。

川口：大昔、クーデンホーフ光子の伝記を読んだことがあります。光子はオーストリア＝ハンガリー帝国から東京に赴任していたクーデンホーフ伯爵に見染められ、二二歳で波乱のヨーロッパに渡る。汎ヨーロッパの提唱者となるリヒャルトは彼女の次男です。

福井：クーデンホーフは、「欧州合衆国の実現に対する最大の障害は、汎欧州の二大人口大国であるドイツとフランスの、千年来のライバル関係である」とし、独仏対立で勝者となるのはロシアだと警鐘を鳴らしていました。ドイツをロシアの側に追いやることになりかねない、第一次大戦後のフランスによるドイツ圧迫を戒め、汎欧州実現に向けた独仏連携の決定的重要性を説いたのです。

クーデンホーフ伯爵と光子夫人

川口：クーデンホーフの構想を聞くと、EUから離脱したイギリスのブレグジットは正しかったといえるのでは。

福井：イギリスの指導層には以前から「欧州懐疑派（Eurosceptic）」と呼ばれる、EUによる政治統合推進に否定的な人たちが少なくなかった。日本の報道ではブレグジットを支持した層を「無知な大衆」とみなす意見が目立ちましたが、「親EU＝進歩、反EU＝反動」という図式の破綻は、最近ますます明らかになってきました。

川口：ナショナリズムという言葉を否定的な意味にしてしまったのは、誰かの陰謀ですね。国民が自国の歴史や伝統を大切にするのが、悪いはずはないでしょう。自国のアイデンティティを自覚し、愛国心、あるいは国益を意識したからといって、それが他文化の排斥や他民族の抑圧につながる必然性もありません。

それに、人は愛する国なくしてアイデンティティを保つことがはたして可能なのか、疑問です。どこにも属さない人間は、私に言わせれば、国際的ではなく、根無し草です。

前述したハンナ・アーレントを主人公にした映画のなかで考えさせられるシーンがあります。ユダヤ人社会から孤立無援にされた彼女が、古くからの友人が危篤になり、急遽イスラエルにまで駆けつける。

「ハンナ、君はイスラエルを愛していないのか？」

ベッドに横たわる年老いた友人が最後の望みを託したかのようにそう尋ねると、アーレントは次のように答える。

「私はある国を愛したことは一度もない。私が愛するのは私の友人たちよ」

それが決別の言葉になるのですが、この天涯孤独の感覚は何でしょう。それまで何千年もの間、あらゆる国に属しながら、実はどこの国にも属していなかったユダヤ人特有の感覚なのでしょうか？　あるいは、「国家」などという観念的なものを愛する対象にするのが不自然だと、アーレントは言っているのでしょうか。

私は四〇年以上、ドイツで暮らしていますが、自分がドイツ人だと思ったことも、ドイツ国籍を取ろうと思ったことも一度もありません。

でも、それは私だけではなく、日本人の私の知り合いは、何年、ドイツに住んで、ドイツ人の家族がいても、皆、そうです。アイデンティティというのは、そう簡単に取り替えられない。だから、「日本を愛しているか？」と聞かれれば、迷わず「はい」と答えるでしょう。それが、ドイツ社会で暮らしていくうえで、幸せなことであるかどうかはわかりませんが、アーレントのようにどの国も愛したことがないよりは、ずっと恵まれているような気はします。

第2章 ベルリンの壁崩壊とメルケル東独時代の謎

ベルリンの壁を壊したのはソ連だった⁉

福井：ベルリンの壁崩壊は当時のソ連共産党書記長ミハイル・ゴルバチョフが計画し実行したと、旧東ドイツで貿易に従事していたミヒャエル・ヴォルスキーは主張しています（1989 *Mauerfall Berlin*）。

川口：福井さんに教えていただいて、私もすぐに買って読んでみたのですが、とても驚きました。そのような説があることすら知りませんでした。私の周囲のドイツ人たちも想像もしていないと思いますよ。でも、本当ならすごいと、ちょっと興奮しました。

福井：ヴォルスキーの主張が本当かどうかはわかりません。しかし、経済的に行き詰っていた当時のソ連にとって、東独を含む東ヨーロッパ諸国が重荷となっていたことは事実です。

ヴォルスキーが壁崩壊計画の中心人物とするウラジーミル・セミョーノフは、第二次大戦中からソ連の対独政策に関わり、戦後の占領行政や東ドイツ創設に尽力し、最初のソ連駐東独大使を務めました。

セミョーノフは駐西独大使を最後に一九八五年に引退し「年金生活」に入ったと、死後ドイツで出版された『スターリンからゴルバチョフまで』(*Von Stalin bis Gorbatschow*)と題した回顧録の最後に記しています。ところが、その本の序文では年金生活に入ったのは一九九一年と書いているのです。わざとか、思わず筆が滑ってしまったのか。セミョーノフは西独大使退任後も、特命大使としてケルン(大使館のあるボンの隣)にとどまり、壁崩壊後の一九九一年に引退、そのままケルンで生涯を終えました。

そもそも、当時のソ連高官が外国で年金生活に入るというのは極めて異例なことです。なんらかの密命を帯びていたとしか考えられません。一方、一九八九年四月に当時のアメリカ大統領でCIA長官経験者でもあるジョージ・H・W・ブッシュは、歴代大統領に仕えた情報将校(陸軍中将)でかつての部下である元CIA副長官のバーノン・ウォルターズ国連大使を「格下」の駐西独大使に転任させます。一九一一年生まれのセミョーノフよりは若いものの、ウォルターズは一九一七年生まれで、前任者より三〇歳年長の七〇歳を超える高齢での起用です。米ソ両国のトップに直結する二人の間で表にできない交渉があったと考えるの

ミハイル・ゴルバチョフ

が自然でしょう。

ヴォルスキーによれば、重荷となっていた東ドイツの強権体制を見限っていたゴルバチョフは、東ドイツ指導者の抵抗を回避するため、壁の無血崩壊を秘密裏に行う必要があり、壁崩壊後も、東ドイツ国民による平和的革命という物語を広めたというのです。

実際、ドイツだけでなく世界中で、ベルリンの壁崩壊における東ドイツ国民の自主性・主導性が強調され、今日に至っています。

ベルリンの壁崩壊

川口：その無血革命というのが、まさに東ドイツの人たちの誇りです。しかも、それは今、私の住んでいるライプツィヒという街の真ん中にあるニコライ教会から始まって、東ドイツ中に広まっていったのです。まさか、ソ連がお膳立てをしていたなど、もちろん誰も思っていません。

壁の落ちる半年ほど前の出来事というのは、勇気ある人たちの物語で、とても感動的です。彼らが恐る恐る動かした小さな雪の塊が、次第に大きな雪崩(なだれ)となり、もう誰の力でも止められなくなる。そして、最後にはすべてが呑み込まれ、気がついたら目の前に新しい大地が広がっていたというような目眩く(めくるめ)達成感を、あの頃、その渦中にいた人たち全員が持ったのではないかと想像します。

東ドイツが激しく揺れ出したのは、五月の地方選挙の後でした。選挙結果は、「投票率が九九・八％で、そのうちの九九・七％をＳＥＤ（東ドイツの独裁政党）が獲得」というもので、政府としては、これまでと同じことを言っただけでしたから、これが問題になるとは思っていなかった。ところが、世の中の空気が変わっていたのです。人々は初めて、不正選挙追求の声を上げ、これが静かに民主化運動につながっていった。

当時、運動の核になったニコライ教会では、毎週月曜日に集会が開かれていました。ここでの話し合いは、宗教というよりも、かなり政治的な色を帯びていたのだと思います。そのうち彼らは「外へ！」というスローガンとともに、教会の外へ飛び出した。これが、最終的に壁を壊すことになる月曜デモの始まりでした。

九月四日、デモの参加者は一〇〇〇人を超え、逮捕者が出ましたが、人々は諦めなかった。二五日には、八〇〇〇人、一〇月二日には一万五〇〇〇人と、デモは急速に拡大していきました。

そんな混乱のなかで一〇月七日、東ドイツは建国四〇周年を祝います。式典に招かれたゴルバチョフは、「遅れるものは人生に罰せられる」という謎めいた言葉で、エーリッヒ・ホーネッカー書記長に暗に辞任を勧めたといいますが、ホーネッカーはその意味を理解しなかった。でも、国民はその言葉の意味を正確にキャッチした。ソ連は東ドイツの民主化運動に介入しないのではないかと、大いなる希望を持ったのです。

ゴルバチョフが去った二日後の一〇月九日の月曜デモが、東ドイツという国の分水嶺となったと言われています。この頃の月曜デモはまだライプツィヒだけのものでしたが、七万人の市民が集まるという異例の規模でした。しかも重装備の人民軍や警察がデモ隊を包囲しており、七万の参加者の緊張は極限にまで達した。

おそらく人々の頭には、四カ月前の天安門での惨劇が浮かんでいたのではないでしょうか。天安門の学生のように自分たちも制圧されるのだろうか、まずはゴム弾か、逮捕者は何人か、ゴム弾の次は実弾か……と、こんな考えが、皆の頭の中をめぐっていたはずです。犠牲者なしに終わるとは到底思えなかった。

ところが、この夜、軍も警察も、なぜか何もしなかったのです。そして、まさにこの夜、潮目が変わり、東ドイツの運命が決まったのです。

一週間後、デモの参加者は一二万人に膨れ上がり、ホーネッカーは武力鎮圧を命じましたが、人民軍はそれをはっきりと拒絶。その翌日、ホーネッカーは失脚しました。

ライプツィヒの月曜デモが、稲妻のように他都市に波及したのはその後のことです。一一月四日には東ベルリンで一〇〇万人デモが起こり、九日、ついに壁が落ちました。

民主化運動というのは、世界の多くで起こっていますが、たいていは無惨に潰されてしまいます。一九五三年の東ドイツの民主化運動も、一九六八年の「プラハの春」も、どちらもソ連軍の戦車に鎮圧されました。

プラハの春。燃え上がるソ連軍の戦車

大きな権力を覆すことは難しく、失敗して逮捕されたら、生きて帰れるかどうかもわからないし、たとえ、釈放されたとしても、体制が変わらない限り、あとの一生を棒に振る可能性は高い。それでも、あの頃、ライプツィヒにはデモに出かけて行った人たちがあれほどたくさんいたのだと思うと、胸が熱くなります。

私は四年前からライプツィヒに住んでいますが、一一月九日が近くなると、毎年、いろいろな行事があって、そんなとき、そこに集まっている普通の人たちから、彼らの誇りをもろに感じる瞬間があります。また、ニコライ教会に行くと、当時の写真が飾ってある部屋もあり、それを見ていると、私にはこのデモに加わる勇気があったかしらと、少し恥ずかしくなったり……。

いずれにしても、私はこの時期の、歴史に翻弄されながらも、しっかりと前進していくような雰囲気がとても好きで、いろいろなところに書いています。ところが、ヴォルスキーの著作を読んで以来、もし、この無血革命がソ連に仕組まれていたのだとすると、私はあちこちに間違ったことを書いてしまったかもしれないと、気に掛かります。

福井：ゴルバチョフはソ連そして東欧の実情を直視し、既存の枠組みが持続不可能であることを理解し、改革によってなんとかソ連だけでも維持しようとしました。もはや東独のみならず東欧諸国支配はソ連にとって重荷でしかなかったのです。かりにゴルバチョフが直接的には壁崩壊を主導したのだとしても、短期的にはともかく長期的には、歴史の流れというか民衆の自由を求める声に抗することはできないと覚悟した、受動的対応だったのです。その意味で、壁崩壊をもたらしたのは、やはり民衆の力だったといえるのではないでしょうか。

東ドイツはすでに末期症状だった事実

川口：一九八〇年代後半に、東ヨーロッパでは民主化運動が花開きますが、その源流となったのは、確かにゴルバチョフでした。一九八五年に共産党書記長に就任して以来、ペレストロイカ（改革）、グラスノスチ（情報公開）に着手。私でさえ、これから世界は平和になるだろうと、いま思うと、とんでもない勘違いをして、嬉しく思っていました。そして、当時、特に狂喜したのが、これまで声を出せなかったソ連の衛星国の知識人たちだったのではないでしょうか。

研究者やエリートは、もともとソ連とのつながりが深く、留学経験者も多いから、ソ連の〝変化〟には常に敏感でした。特に、ポーランド、ハンガリーは自由を求める機運の高い国でしたから、実際に社会主義が潰れたのもソ連よりも早かった。その一方で頑なに民主化を拒んでいたのが、ソ連の子分のなかでは優等生の東ドイツでした。

ただ、ゴルバチョフの登場以来、その東ドイツにさえ、これまでにはなかったような政権批判が飛び交い始めます。ところが、当時の東ドイツ政府は混乱するばかりで、対応がまったくできていませんでした。

たとえば、一九八八年の一〇月に、東ドイツ政府がソ連の雑誌『スプートニク』のドイツ語版とも言える雑誌の一〇月号一八万部を没収した事件。記事の中に独ソ不可侵条約の秘密議定書についての記述があったからだと言われています。なぜなら、ドイツとソ連が示し合わせてポーランドを挟み撃ちにし、さらに東ヨーロッパやフィンランドまで山分けしたという事実は、公開されていた条約本文ではなく、秘密議定書で決まっていたことで、東ドイツの歴史認識では、あってはならないことでした。東ドイツは、ご存知のように、自分たちがヒトラーのドイツ帝国の継承国だということを否定してきました。それなのに、東ドイツの正史に合わない不都合な事実を、当のソ連がグラスノスチによって開示してしまった。この雑誌は東ドイツでは人気があったため、あっという間に炎上しました。しかも、その後、政府は没収の理由として、「スプートニク誌が歴史的事実を歪曲したから」と主張したため、事態はさらに紛糾。さすがに国民は、もう政府の

ホーネッカー（右）とゴルバチョフ（左）

言いなりにはならなかった。それなのに、トップのホーネッカー書記長はこの期に及んでも、「ベルリンの壁は五〇年、一〇〇年後も立ち続けるだろう」などと、間の抜けた演説をしていたのです。当時の東ドイツがいかに末期症状を呈していたかがわかる話です。

福井：ゴルバチョフは、おそらく当初はホーネッカーが自主的に改革を進めることを期待していたのでしょう。しかし、その期待は無駄だと悟り、東独政府の頭越しに密かに壁崩壊計画を進め、実現したのではないでしょうか。なお、壁崩壊の約三カ月前の一九八九年八月一八日に、ソ連は独ソ不可侵条約に秘密議定書が付されていたことを初めて公式に認めています（『ニューヨークタイムズ』一九八九年八月一九日付）。

ゴルバチョフは東欧共産主義政権を見放した!?

川口：東ドイツの民主化運動が急激に広がり始めたのは、先ほど申し上げた通り、一九八九年五月の地方選挙の後の不正選挙の追及からでした。

それに加え、やはり五月、ハンガリーがオーストリアとの国境の鉄条網を撤去し、鉄のカーテンに蟻の一穴を穿ちます。また八月には、やはり国境の森の中で、オーストリアとハンガリー両市民の交歓パーティーが催され、パーティーへの参加を装った東ドイツ国民を、どさくさに紛れてオーストリアに逃がすという事件が起こりました。これらは、東西の人権運動の活動家、および教会関係者などが綿密に計画したものだったと言われます。

そして、ついに九月一一日、ゴルバチョフの後押しで、ハンガリーの改革派がオーストリアとの国境を全面的に開放。以後、ハンガリー経由で西側に出国する人の波が止まらなくなる。そんな折の九月一五日、今度は『プラウダ』に、〝ミーシャ〟がホーネッカーを批判した爆弾記事が載ります。ミーシャとは、三〇年以上も秘密警察「シュタージ」を率いた東ドイツの伝説的スパイ、マルクス・ヴォルフの暗号名です。この記事の目的は明白で、ソ連の改革派が、次の東ドイツの指導者をこのミーシャにしようとしたのです。

これにより東ドイツの国民は、自国にようやく訪れたと思った改革の波を裏から工作しているのが、またもやソ連と組んだシュタージだったと知り、激怒します。結局、それが一気にライプツィヒの「月曜日デモ」に発展していくわけです。

遅まきながら民主化の波に抵抗できないことを察した東ドイツ政府の幹部たちは、今度は、改革の主導権を握ろうと急転換を図りますが、すでに相手にされません。デモに集まった市民の怒声にかき消されてなす術もなかった。

そこで政府は二日後の一一月六日に、〝飴政策〟を打ち出します。国民の「西側への旅行を許せ」という要求に対応するつもりで、「旅行法案」を提出するのですが、これは出国のみ認め、再入国についての規定がなかったため、国民を怒らせただけでした。政治家は右往左往し、翌七日は首相のヴィリー・シュトフが解任されるという事態を招き、その後任に就いたのがハンス・モドロフ。そして、慌てて「旅行法案」に再入国を認める旨が付け足されたのが、一一月九日の朝です。つまり、壁の落ちた日の朝。

ただ、この改正案も、ビザの取得が容易になる程度のものでしかなく、壁を壊すような改革ではなかった。それがその日の午前中、大した審議もなされぬまま、上の空の議員たちによって可決されたのです。

そしてよりお粗末なのは、午後の記者会見で、「この法律はいつから発効か？」という記者の質問に、政府の報道官であったギュンター・シャボフスキーが、「私の持っている情報が正しいなら、即刻だ」と答えてしまったことです。シャボフスキーは、これを決めた午前中の議会を欠席していたため、よくわからないまま答えたと言われていますが、そのシーンを西側のテレビが夜のニュースで報道しました。すると、東ベルリンでは、西側の電波は難なく受信できますから、そのニュースが一気に広がり、あっという間に、西からも東からも人々が壁の検問所に集まり始めた。そして、「開けろ！　開けろ！」の大合唱となり、群衆の圧力に屈した検問所が次々と開放された……と。

ギュンター・シャボフスキー

つまり、東西ドイツの統一、共産党の崩壊、ソ連の消滅は、東ドイツの報道官の勘違い答弁から始まったというのがこれまでなされた解説でした。世界を変えた「無血革命」です。

でも、後付けだと言われるかもしれませんが、確かにこの話には不自然な点があります。ヴォルスキーも指摘していますが、シャボフスキーというベテラン政治家が、これほど大事なことを勘違いで発言してしまうというのは確かに奇妙です。しかも、それをきっかけに人々が検問所に詰めかけるのも、それを検問所があっさり解放するのも、よく考えるとおかしなことです。当時の東ドイツは、そんなことをすれば銃殺されたり、監獄に入れられても仕方がない体制だったのですから。

福井：実際、東ドイツは悪名高い監視社会で、それまで壁を乗り越えようとする国民が銃殺されてきており、ものすごい恐怖心があったわけでしょう。

川口：秘密警察のシュタージは巨大な組織に成長しており、特に、ＩＭ（非公式協力者）と呼ばれる情報提供者の数は、最盛期には二〇万人に及んだと言われています。シュタージを監視するシュタージまであって、究極の監視社会でした。

福井：ですから、壁崩壊はソ連が仕掛けたのではないかというのは一概に根拠なき「陰謀論」とは言えないのです。そして、当時東ドイツ駐在のＫＧＢ工作員だったプーチンも関わっていた可能性があります。

川口：当時三〇代だったプーチンはドレスデンが最初の赴任地で、この壁崩壊のどさくさに巻き込まれます。

福井：プーチンはドイツ語が堪能で、通訳や交渉を担当していたとされます。

川口：なお、ゴルバチョフの関与についてですが、私は『メルケル　仮面の裏側』（ＰＨＰ新書）で、東ドイツ崩壊においてゴルバチョフが確信犯であった疑いを捨てることができないと書いていますし、今もそう思っています。あの時代に、あの人物がソ連の大統領となったこと。それこそが歴史の悪戯（いたずら）だったと思っています。何より世界を驚かせたのは、ソ連がアメリカに向かって世紀末までの核の廃絶を提案したことです。

福井：ゴルバチョフが中距離核戦力（ＩＮＦ）全廃を提案したのは、経済的負担の重さとともに、東欧支配放棄を決めたので、そもそもＩＮＦの必要性が低下したからでしょう。ゴルバチョフにとって、政治的経済的に疲弊したソ連を軟着陸させるだけでも大変なわけで、東欧にかまっている余裕はありませんでした。要するに、ゴルバチョフは東欧共産主義政権を見放したのです。ただし、ソ連はもはや体制内改革でどうにかなる状況ではなく、結局、バラバラになってしまいました。

KGB 時代のプーチン

こうした状況下で、強権体制を続けようとした東独ホーネッカー政権は、ゴルバチョフにとって、支援の対象ではなく取り除きたい存在だったのです。

壁が崩壊したのは、一一月九日ですが、その二日前の七日はロシア革命記念日でこの週は兵士が駐屯地にいました。あたかもソ連軍兵士による不測の事態を避けるタイミングを見計らったかのようです。

壁が崩壊した一一月九日の夜、ソ連のヴャチェスラフ・コチェマソフ駐東独大使もゴルバチョフも起こされず就寝したまま翌朝を迎えます。大使就寝後、全権を担っていた大使館ナンバーツーでゴルバチョフ支持者のイーゴリ・マクシミチェフ公使があえて大使とゴルバチョフを起こさなかったことは、公使本人がのちに証言しています。ゴルバチョフも大使も事前に知っていたからとしか考えられません。ゴルバチョフは翌朝、東独指導部に検問所開放を祝う旨伝えるよう、大使に命じています（『ターゲス・シュピーゲル』二〇〇六年一一月二二日付電子版）。

もちろん、「ベルリンの壁崩壊はソ連主導によるもの」というヴォルスキーの主張がすべて本当かどうかは永遠の謎ですが。

自殺に見せかけ暗殺されたナチス副総統

福井：もうひとつ単なる「陰謀論」では片づけられないのが、ニュルンベルク裁判で終身刑を言い渡され、釈放されることなく九三歳のときに刑務所で自殺したとされるルドルフ・ヘスのケースです。実は自殺に見せかけて暗殺されたという主張です。

ルドルフ・ヘス

ヘスは当初からヒトラーの側近であり、『わが闘争』の口述筆記も務め、政権獲得後、国民社会主義ドイツ労働者党（NSDAP）の総統代理に任ぜられます。

ヘスは、独ソ戦開戦直前の一九四一年五月一〇日、イギリスと和平交渉を行うため、自ら軍用機を操縦して単身渡英します。しかし、交渉は行われなかったとされ、拘束されたヘスはほぼ半世紀にわたる囚われの人生を送ることになります。ヒトラーは表向き、ヘスは気が触れたとして、自身の関与を否定しましたが、実際にはヒトラーの特命を受けての行動でした。しかも、対英和平を熱望するヒトラーとヘスは、全く和平の意図のないイギリスにはめられたようです（Allen, *The Hitler/Hess deception*）。そして、ニュルンベルク裁判で死刑以外の有罪判決を受けた戦犯のなかで、ヘスはただ一人死ぬまで釈放されませんでした。

一九八七年八月一七日、常に厳しい監視下にあったはずなのに、ヘスは刑務所内で首を吊って死亡した状態で発見されました。公式には自殺と結論づけられましたが、不可解な点が多く、ヘスの息子ヴォルフ・リュディガー・ヘスは亡くなるまで、自殺ではなくイギリスによる謀殺と主張していました（*Rudolf Heß: "Ich bereue nichts"*）。

ヘスの釈放にはソ連が反対していると言われていましたが、一九八五年に共産党書記長となったゴルバチョフが釈放に前向きだったため、ヘスが知る独英間の秘密交渉を釈放後に暴露されることを恐れたイギリスが暗殺したというのです。決定的な証拠はないものの、状況から見て暗殺だった可能性は高いと思います。実は、ヘスの対英秘密和平交渉に関与していた地政学の大家カール・ハウスホーファーも、ニュルンベルク裁判にヘスの弁護のため証人として出廷する直前に不審死を遂げています。自殺と発表されましたが、こちらもイギリスの関与が指摘されています（Scheil, *Die Eskalation des Zweiten Weltkriegs von 1940 bis zum Unternehmen Barbarossa 1941*）。

川口：なるほど、そのヘスが死んだのは一九八七年の八月ですから、すでにこの頃、書記長であったゴルバチョフが水面下でいろいろ動いていたという証拠かもしれませんね。戦争のベールの陰には、今でも公開されては困る情報がたくさんあるのでしょう。

福井：そうです。当時ゴルバチョフはソ連がこのままではやっていけないと考え、アメリカと協調して冷戦を終わらせ、アメリカとの友好関係の下、地域の大国としての地位を維持しようとしました。アメリカもそれに応じるかのような対応をします。しかし、アメリカはソ連崩壊後、ロシアの弱みにつけ込むように行動します。

一九五五年にソ連・東欧の東側陣営が西側のNATOに対抗して設立した「ワルシャワ条約機構」が一九九一年に解体され、ソ連軍が東欧から撤退したにもかかわらず、ゴルバチョフとの約束を反故(ほご)にし、そこにNATOが次々と入っていったのです。

カトリックvs.プロテスタント

福井：ドイツが戦後、西と東に分かれた後、米英がドイツ統一に否定的で西ドイツを冷戦の最前線として強化しようとしたのに対し、スターリンは東ドイツの維持にこだわらず、中立化したドイツの統一に前向きでした。英仏と距離をおいた経済大国ドイツの存在は、米ソ対立の緩衝地帯として、大きなメリットがあると考えたのです。
西ドイツ国内でも統一を望む声がありました。しかし、初代首相のアデナウアーは、ラインラントを代表するカトリックの政治家であり、ヒトラー政権誕生前から反プロイセンで、米英仏との「西との結合」(Westbindung)を標榜し、西側と切り離されたかたちでの統一には反対していました。こうしたこともあって、西ドイツ建国の父ともいえる存在でありながら、アデナウアーに対するプロテスタントの旧プロイセン・エリートの評価は必ずしも高くありません。

日本ではあまり意識されていませんが、ドイツ政治におけるカトリックとプロテスタントの対立は見逃してはいけない重要な要素です。

川口：東ドイツはプロテスタントが強く、社会主義を肯定し、キリスト教は社会主義体制と同居できると考えていた牧師が多い。メルケルの父親もそうで、「赤い牧師」と言われていました。メルケルは牧師の娘だから人道に篤く、だから中東難民を受け入れたというけれど、それもどうだか。東ドイツの牧師は私たちの思うような神様に仕える牧師とは違って、社会主義活動家とどちらが本業なのかわからない面があったような気もします。その傾向は、今、さらに強くなっていて、最近のドイツでは、プロテスタントの会議などで討議される議題や採択される声明を見ていると、気候だとか、ＬＧＢＴだとか、緑の党の党大会かと見紛(みまご)うばかりです。そのうえ、カトリック教会の幼児の性的虐待問題がプロテスタントにも飛び火していて、その「解明」にも追われているし、神様はかなり不在ですね。

なお、ドイツではプロテスタントとカトリックの信者の数は、ほぼ半々です。カトリックが特に強いのは、バイエルン州かな。バイエルンはヒトラーの地元です。

福井：そもそも、ヒトラーを支持したのは誰か。一九三三年一月にヒトラーが首相に就任する半年前の一九三二年七月に、NSDAPいわゆるナチ党支持が政権獲得前に最高を記録した総選挙結果を見るとよくわかります。

当時のドイツ国会は比例代表制なので、候補者ではなく政党に投票する。NSDAPすなわちヒトラーといってよいので、NSDAP得票率はそのままヒトラー支持率とみなすことができるのです。

NSDAPといえば、カトリックの牙城であるバイエルン州のミュンヘンに本部があるため、一見カトリック地域での支持率が高そうですよね。当のヒトラーはオーストリア出身であり、死ぬまで破門されることなくカトリック教徒でしたし。

ところが、ドイツ全国を農村と都市に二分し、さらに宗派によってカトリック地域（カトリックが四分の三以上）とプロテスタント地域（カトリックが四分の一未満）に分け、NSDAPの有権者全員に対する絶対得票率を見ると、農村では一七%対四一%、全国で見ても一八%対三七%と、カトリック地域のヒトラー支持率は、プロテスタント地域の半分に満たないのです（Falter, *HItlers Wähler; Hamilton, Who voted for Hitler?*）。

社民党や共産党の支持基盤であるブルーカラー労働者が多い都市部でも同様です。プロテスタント地域でのナチス得票率は三二％でカトリック地域の一九％を大幅に上回っています。個別の大都市を見てみると、本部があるミュンヘンですら、NSDAP得票率は左翼の牙城とされユダヤ人も多い首都ベルリンと同程度です。ミュンヘンより、ハンブルク、ライプツィヒあるいはドレスデンといった同規模のプロテスタント都市のほうがNSDAPの得票率が高い。

人口二五〇〇人未満の農村ではNSDAPの絶対得票率は実に七割を超え、棄権者を除いて投票所に足を運んだプロテスタント住民のほとんどがNSDAPに一票を投じたことになります。一方、カトリック農村（カトリック三分の二以上）では、人口規模にかかわらず、一貫して得票率は二割程度と低いのです。

ヒトラーが政権獲得できたのは、プロテスタントのおかげともいえます。

メルケルは隠れ社会主義者？

川口：ドイツは、今でもそうですが、共産主義や社会主義に夢を託す根っからの左翼が結構多いですね。ワイマール時代には、ソ連の共産党も、ドイツの赤化に大いに期待していたと言います。第二次大戦が終わった後も、理想の社会主義国家の建設を夢見て、西からわざわざ東ドイツに行った人たちが少なくありませんでした。戦後、「地上の楽園」を信じて、日本から北朝鮮へ渡った人がいたのと似ています。

福井：ワイマール共和国では、共産党とNSDAPは「両極」として激しく対立する一方、伝統的階層社会であったドイツの変革を訴える革命政党として多くの共通点がありました。ヒトラーは伝統的保守層よりも、社会主義者を評価していました。実際、政権獲得後ヒトラーは労働者を重視する政策を打ち出し、かつて社民党や共産党の支持者だった労働者はヒトラーの支持基盤となります。逆に反ヒトラーの中心は伝統保守勢力でした。

川口：戦後に社会主義の実現を目指して、東ドイツに行ったのはいいものの、ソ連のやり方に失望して、西側に戻ってきた人もたくさんいます。しかし、諦めず、東ドイツに留まって、より良い社会主義の実現を目指していた人たちもいました。彼らにとって、社会主義の理念は、資本主義のそれよりも上でした。

福井：メルケルがそうでしょう。

川口：正確にいえば、まずはメルケルのお父さん。彼はわざわざ西から東に戻った人ですから。そして、それを受け継いだのがメルケルです。メルケルは、この壮大な構想を実現させるために、これまでで最大の功績を残した政治家といえるかもしれない。彼女のおかげで、ドイツの社会主義化は、今になって、だんだん実現の運びに近づいているような気がします。

福井：メルケル本人は自らの東独時代について非政治的な科学者だったと主張していましたが、実情はまったく違うことを明らかにしたメルケル評伝が一〇年ほど前に出ました（Reuth & Lachmann, *Das erste Leben der Angela M.*）。メルケルはＳＥＤ（社会主義統一党）の青年組織「自由ドイツ青年団（ＦＤＪ）」のメンバーで、単に所属するだけでなく、書記として活動していたのです。ちなみに、東ドイツで政権党が共産党ではなく社会主義統一党と呼ばれたのは、形式的には人民共和国体制の下、共産党と社会民主党が合併して誕生したということになっていたからです。建前上は複数政党制でＣＤＵもありました。すべて茶番ですが。

川口：今、おっしゃった本は、直訳すると、「アンゲラ・Ｍの初期の人生」。あれはすごい本です。

よく出せたなと思います。メルケルは、ライプツィヒ大学（東独時代はカール・マルクス大学と改名されていた）で物理学を学び、その後、ベルリンの科学アカデミーに勤務していましたが、大学時代はＦＤＪでかなり熱心に活動していたらしい。

福井：ＦＤＪというのは、ＳＥＤの傘下にある一四歳から二五歳の青少年の官製組織です。東ドイツではたいていの子供たちは六歳になるとピオニールに、一五歳からはＦＤＪに参加します。休日のキャンプなどボーイスカウトに似た活動も行っていましたが、大きく違うのは、国家に対する忠誠心や、国民としての団結心の育成とともに、マルクス・レーニン主義に導くのを目標にしていたことです。

アンゲラ・メルケル

川口：ピオニールで子供たちがまず暗唱させられるのは「私たち若いピオニールはドイツ民主共和国を愛しています」というようなものだし、その後には、自由、人権、平等、国際友好、環境保護といった理念を基にした活動が行われます。

ＦＤＪへの加入を拒むと、休暇中も様々な楽しいイベントに参加できず、進学や就職などにも差しさわりがでる。ですから宗教上の理由がない限りはたいていの子供たちは所属します。メルケルはピオニールに小学校二年生のときから入っていました。

「赤い牧師」の父を尊敬していたメルケル

川口：メルケルの父親はカスナーと言って、牧師でありながら活動家でした。ドイツでは、牧師というのは職業上の資格で、必ずしも教会で説教をすることだけを意味するわけではありません。なお、蛇足ながら、メルケルというのは、彼女の最初の夫の名前で、今の夫の名はザウワーです。父親カスナーは若い頃、ブランデンブルクの教会区から奨学金を受けて、勉強のために西ドイツに行っています。まだ、ドイツに壁がなかった時代の話です。

彼は一九四八年から一九五三年まで、西ドイツで研鑽を積むのですが、その間にソ連の東ドイツへの圧力が刻々と増し、東西関係はどんどん複雑になっていきました。

一九四九年に東西が正式に分裂すると、東では自由が奪われただけでなく、慢性的な物不足で不満が高まり、一九五三年三月のスターリンの死を機に、ついに国民が蜂起。当初は賃金カットに対するストライキだったのが、次第に民主化を求める反政府運動に発展して、六月には抗議運動は東ドイツ全土に広がり、五〇万とも一〇〇万とも言われる人々が街に繰り出しました。今、思えば、国民は、ソ連を見くびっていたのでしょう。

ところが、実際に起こったのは、信じられないことでした。東ドイツの警察が、ソ連の戦車とともに自国民に向かって銃口を向けたのです。この事実は、東ドイツでは永久に封印されましたが、旧西ドイツ内務省の推計では、死者が三八三人、その後の処刑が一〇六人、他にも、大勢の反体制派がソ連に連れ去られたということです。これにより、もちろん国民の抵抗は止み、その代わりに、人々は必死で西へ逃げ始めた。一九四九年からベルリンの壁ができた一九六一年までの間に、東から西へ移住した人は二五〇万人と言われています。

しかし、前述のように、この最中、メルケルの父親のカスナーは、妻がハンブルク出身であったにもかかわらず、西のハンブルクから東のブランデンブルクに戻っているのです。留学費用を、東ドイツの東の教会に出してもらっていたという義理があったにせよ、かなり奇特な話です。メルケルはというと、まだ乳飲み子でした。いずれにせよ、西から東へ移住するのは正真正銘の共産党員か、よほどのバカだと言われていた時代の話です。後のメルケルの回想によれば、彼女はこの父親を非常に尊敬していたようです。

福井：東独時代のメルケルがどのような思想信条の持ち主だったのか、本当のところはわかりません。ＦＤＪの活動家だったのも、それが大学入学や就職などで有利に働くからという、もっぱら実利的理由によるのかもしれません。しかし、メルケルが、ドイツでオスタルギー（Ostalgie；Ost＋Nostalgie）と呼ばれる、今はもうない東ドイツへの郷愁を抱き続けていたことは間違いありません。二〇二一年一二月二日の首相退任式典で、メルケルは軍楽隊が演奏する曲の一つに、一九七四年にニーナ・ハーゲンが歌った東ドイツの流行歌「カラーフィルムを忘れたのね」（Du hast den Farbfilm vergessen）を所望し、演奏の際には目に涙を浮かべていました（Hoyer, *Beyond the wall*）。

川口：そうそう。でも、それについては、主要メディアはどうコメントして良いか分からなくなったみたいで、口を噤んでしまったところがありました。ただ私は、メルケルには何らかの計算があったと思っています。彼女が単なる郷愁で動くとは思えない。

なお、宗教ですが、これは社会主義国にとってはアヘンです。特に、カスナー一家が東に戻った頃は、教会は自由に活動できる状況ではなく、カトリックであれ、プロテスタントであれ、信者が抑圧されたり、聖職者が拘束されたりしていました。だからこそ、メルケルのお父さんは、おそらく、東ドイツの教会を守らなければならないという強い意志や、社会主義者としての使命感、あるいは、郷土愛にも支えられていたかもしれない。彼は、社会主義とキリスト教は共存できると確信していたと言いますから、どうにかしてそれを実現したいという願望に燃えていたのだと思います。

独裁政党であるSEDとの関係を築きながら、カスナーは牧師の養成という仕事も担っていました。彼が後には外国に行く特権を得ていたことをみると、海外の教会との連携もあったはずで、そうとうな綱渡りだったかもしれません。

ただ、メルケルや弟がちゃんと大学に進学できたことから、一家がSEDに不当に扱われていなかったことだけは確かです。外国に出られるというのは、東ドイツにおける特権の最たるものでしたから、むしろ優遇されていたといっていいでしょう。

権謀術数に長けたメルケル

川口： メルケルは、二〇〇〇年より一八年もの間CDU（ドイツキリスト教民主同盟）の党首で、二〇〇五年より二〇二一年一二月までは、ドイツの首相でした。CDUの顔といえば、アデナウアーやヘルムート・コールですが、今では彼らを凌ぐほどの存在感だといってもいいでしょう。

三五歳まで政治とかかわりのない一介の研究者でしかなかったメルケルがどのように上り詰めてその地位を得たか、それが、私が『メルケル　仮面の裏側』で描きたかったことです。

メルケルは、実はCDUに入ろうと思って入党したわけではなく、東西統一の混沌のなかの成り行きで、彼女の属していた東の泡沫政党DA（民主主義の勃興）が、紆余曲折を経て西のCDUに吸収されたのです。それが偶然だったとすれば、ドイツにとっては宿命ともいえる偶然でした。

一九九〇年一〇月のドイツ統一の後、すぐに総選挙があり、メルケルは一二月に初当選し、統一からたった三カ月ほどで、コール首相によって家庭大臣に抜擢されています。一九九四年には環境相、さらに一九九八年にCDUの幹事長となり、二〇〇〇年四月同党初の女性党首に就任。そして、二〇〇五年九月の総選挙でCDU／CSU（キリスト教民主／社会同盟）が第一党に返り咲くと、同年一一月にSPDとの大連立政権が発足し、ドイツ史上初の女性首相に就任します。

もちろん、ラッキーな偶然もありましたが、彼女の実力は誰も否定できなかった。しかも、メルケルは努力の人でもあり、権謀術数にも長けていました。これは、難しい状況のなか、微妙なバランスをとりながら活動を続ける父親を見ながら学んだものだったのではないでしょうか。

一例をあげると、二〇〇二年の総選挙前の、CDU／CSUの院内総務であったフリードリヒ・メルツとの暗闘です。この時の政権は、社民党のシュレーダー政権で、CDUは野党だった。そして、CDUの党首はメルケルでしたから、次の選挙でCDU／CSUが勝てば、普通の展開ではメルケルが首相です。ところが、当時はメルケルを未来の首相にしたいと思っている党の幹部はほとんどいなかったし、メルケルの実力など、まだ多くの人が気づいてもいなかった。メルケルを党首に据えたのも、あくまでCDUの「不正献金問題」による一時の危機を凌ぐためにすぎず、この素人っぽい女性が、一六年もの間、ドイツに、いやEUに君臨するなどとは、誰も思っていなかったのです。

そこで、メルケルの弱みにつけ込んで、同会派のCSUでは、自分たちの党首エドムント・シュトイバーを首相候補に立てるという案が浮上します。「CSU」はバイエルン州にだけある保守党で、その代わりCDUはバイエルン州には支部を持たず、両党は常にCDU／CSUという保守会派としてドイツ全体をカバーしています。

郵便はがき

お手数ですが
切手を
お貼りください

150-8482

東京都渋谷区恵比寿4-4-9
えびす大黑ビル
ワニブックス書籍編集部

お買い求めいただいた本のタイトル

本書をお買い上げいただきまして、誠にありがとうございます。
本アンケートにお答えいただけたら幸いです。
ご返信いただいた方の中から、
抽選で毎月5名様に図書カード(500円分)をプレゼントします。

ご住所　〒

TEL(　　-　　-　　)

(ふりがな)
お名前

年齢
歳

ご職業

性別
男・女・無回答

いただいたご感想を、新聞広告などに匿名で
使用してもよろしいですか?　(はい・いいえ)

※ご記入いただいた「個人情報」は、許可なく他の目的で使用することはありません。
※いただいたご感想は、一部内容を改変させていただく可能性があります。

●この本をどこでお知りになりましたか?(複数回答可)

1. 書店で実物を見て　　2. 知人にすすめられて
3. SNSで(Twitter:　　Instagram:　　その他　　)
4. テレビで観た(番組名:　　)
5. 新聞広告(　　新聞)　　6. その他(　　)

●購入された動機は何ですか?(複数回答可)

1. 著者にひかれた　　2. タイトルにひかれた
3. テーマに興味をもった　　4. 装丁・デザインにひかれた
5. その他(　　)

●この本で特に良かったページはありますか?

[　　]

●最近気になる人や話題はありますか?

[　　]

●この本についてのご意見・ご感想をお書きください。

[　　]

以上となります。ご協力ありがとうございました。

シュトイバー擁立作戦は、CDUの幹部にとっても、メルケルを失脚させるという意味では、好都合だった。CDU／CSU内の投票で、首相候補をシュトイバーにすることが決まれば、メルケルの権力は瓦解するでしょう。当然、そうなるだろうと期待していたのが、院内総務を務めていたメルツでした。彼が党首と院内総務の両方を手にすれば、もう怖いものなしです。

つまりメルケルは、自党、CSU、メルツと、三方からの挟み撃ちの窮地に陥ったわけですが、CDU幹部との正面衝突を避けるため、ある朝、単独、シュトイバーの自宅に乗り込み、究極の取引を提案します。「私は首相候補をあなたに譲る」。これで、投票による首相候補の選考はなくなるので、メルケルの敗北はなくなり、ひとまず失脚を免れることができます。「その代わりに、総選挙後、私が院内総務になれるよう、票まとめをしてほしい」。つまり、自分を追い落とそうと画策しているメルツを、反対に追い落とす作戦です。

メルケルは真の敵をメルツと見定め、首相の地位をいったんは諦め、党首と院内総務の両方を手に入れることを選ぶ。この結果がどうなったかというと、シュトイバーはそれを呑み、首相候補となって総選挙を戦いますが、CDU／CSUがSPDに僅差で敗れたため、はからずも首相になることができなかった。

一方、メルケルは、当然、党首にとどまり、さらには、メルツを院内副総理の地位に蹴り落とし、自分がその地位までを手に入れたのです。雨降って地固まる。これは見事でした。

第3章

封印された中東と欧州の危ない関係

サウジ・イラン国交正常化、どうするアメリカ

福井：中東情勢は複雑怪奇で、安易な図式化でわかったつもりになることは危険です。パレスチナのガザ地区を支配するハマスの奇襲で始まったイスラエルとの大規模な軍事衝突が今後どのように展開していくか、予断を許しません。ハマスとイスラエルは不倶戴天（ふぐたいてん）の敵同士であるかのように見られていますが、両者の関係はそう単純なものではなさそうです。故ヤセル・アラファトの後継者でパレスチナ解放機構（ＰＬＯ）議長のマフムード・アッバスが率いるパレスチナ自治政府とハマスは激しく対立しており、これまで自治政府の実効支配はガザには及んでいませんでした。

『サムソン・オプション』（文藝春秋）でイスラエルの秘密裏の核武装を描いた前述のハーシュは、二〇二三年一〇月一二日に「ネタニヤフは終わった」（Netanyahu is finished）と題された配信記事で、「オスロ合意」実現を阻止しパレスチナ自治政府を弱体化するため、イスラエルのベンヤミン・ネタニヤフ首相はカタールを介してハマスを支援してきたというイ

スラエル国家安全保障関係者の見方を伝えています。「今週起こったことは、フランケンシュタインをつくり、それをコントロールできるというビビ・ドクトリンの結果だ」と。「ビビ」はネタニヤフの愛称です。イスラエルメディアも、これまでネタニエフとハマスの「協力」関係を指摘し、厳しく批判しています（『タイムズ・オブ・イスラエル』一〇月九日付、『ハアレツ』一〇月二〇日付電子版）。

さて、サウジアラビアとイランが中国の仲介により国交を回復しました。イスラム諸国間の分裂を望むイスラエルにとっては打撃ですが、これはアメリカにとっても顔に泥を塗られたような事態です。今後、アメリカとサウジの関係は大きく変化していくかもしれません。

ムハンマド・ビン・サルマン皇太子

これまでのアメリカの中東政策は、イスラエルに対する絶対的といってよい支持と並んで、サウジとの友好関係が柱となってきました。アメリカの対サウジ友好政策は、アメリカ道徳外交のダブルスタンダードが最も顕著なケースでもあります。サウジは中国どころではない圧政を今も続けています。女性の人権が抑圧され、最高指導者であるムハンマド・ビン・サルマン皇太子の命令によって政権を批判するジャーナリストが在外公館におびき出され、その場で身体を切断されて殺害されるような国です。サウジと比べれば、女性が各分野で活躍する中国は、はるかに人権を尊重しています。

こうしたサウジの人権無視の圧政に対して、長い間、アメリカが見て見ぬふりをしてきたのは、自国通貨であるドル決済による原油輸入が、アメリカの覇権維持に欠かせないからです。そのため、アメリカは米軍派遣と武器輸出でサウジの強権体制維持と対外的安全保障に努めてきました。

しかし、二〇〇〇年代のシェール革命により自国の石油・天然ガスの生産量が格段に増え、エネルギーをほぼ自給できるようになったアメリカにとって、原油の輸入先としての中東地域の価値は下がりました。

一方、アメリカが中東最大の敵とみなすイランとの国交正常化にサウジが舵を切ったのは、中東への無遠慮な介入を続けるアメリカとの関係を再考し、もはやついていく必要性がないと判断したのかもしれません。さらに、ハマスとイスラエルの軍事衝突で、イスラエルとサウジの国交正常化交渉は頓挫し、アラブ世界では、一方的にイスラエルに肩入れしているとみなされているアメリカへの反感がこれまで以上に高まっています。逆に、ガザ地区で多くの一般民衆がイスラエルの「自衛権」行使の犠牲になるなか、アラブ世界でも持てあまし気味で浮いていたハマスを支持する声が広がっています。

いずれにせよ、対米従属の日欧と違い、アメリカの思うようにはならない中国、そしてインドなどグローバルサウスの政治的・経済的台頭で、相対的にアメリカの影響力が落ちてきていることは間違いありません。大英帝国が衰退していったときを思い起こさせます。

後から振り返ると、一九三〇年代は下り坂の大英帝国にとって復権する最後のチャンスでした。大恐慌で第一次大戦後に確立したアメリカ中心の金融・貿易システムが機能不全となり、その圧倒的経済力を背景にアメリカが国際政治を主導してきた一九二〇年代と打って変わり、対外的影響力が弱まったからです。要するに欧州の政治的独立性が高まりました。

経済面では、すでに政治的に独立していたオーストラリアなど旧自治領との関係を強化し、大英帝国の経済ブロック化を進め、一九三二年の「オタワ協定」に結実します。国際政治が不安定になるなか、アメリカから経済的に自立し、自給圏を確立する経済政策を推進したのが、後に首相となる当時蔵相だったネビル・チェンバレンです。この帝国特恵(Imperial Preference)は、第一次大戦前、植民地相だった父ジョゼフが熱望しながら実現できなかった政策でした。

一九三〇年代は、欧州が外部、すなわち米ソによる介入を排除し、イギリスがフランスのみならずドイツと協調しながら、欧州を主導した最後の時代となりました。

その大英帝国にとどめを刺したのが第二次大戦です。アメリカはチャーチルを中心とする対独強硬派を支援し、イギリスをヒトラーが望まなかった対独戦に向かわせました。日本では、チャーチルは「イギリス救国の英雄」ということになっていますが、実際には大英帝国を滅ぼした元凶であることはすでに述べました。

チェンバレンには、もう一回大きな戦争をしたら大英帝国は終わりだという危機感がありました。チェンバレンに限らずイギリス指導層の多くが大英帝国継続にはドイツとの協調が不可欠と考えていました。皇太子時代から国民に人気があった国王エドワード八世もそうです。エドワード八世すなわちウィンザー公は離婚歴のあるシンプソン夫人と結婚するために退位したことになっていますが、それが本当の理由かどうかはわかりません。

ネビル・チェンバレン

結局、徐々に衰退していたとはいえ、新興のアメリカと並ぶ覇権国家であった戦間期の大英帝国は、第二次大戦で一気に覇権を失いました。そのときイギリスに引導を渡したアメリカが、今後、同じような道を歩まないとは言い切れません。

トランプ路線ならイスラエルとサウジの合意はできた

川口：トランプ政権になってからのアメリカの中東政策は一本筋の通ったものでした。

二〇一八年にイスラエルの米大使館をテルアビブからエルサレムに移転したことから、トランプ大統領には親イスラエル・反アラブの印象が強く、アラブ諸国の猛反発を招きましたが、大統領に就任して最初の外遊先はサウジでした。歴代大統領でアラブ諸国を最初の訪問先に選んだ初めての大統領であり、軽視していないことがわかります。しかも、訪問時には一一〇〇億ドルの武器売却の契約を結んでいる。トランプは突飛であるようでいて、実はバランス外交の達人です。

トランプの中東外交のもう一つの特徴は、断固とした反イラン政策です。かつてのペルシャであるイランは、他の中東のアラブの国々とは元々別物で、今もアラブとは激しく対立して

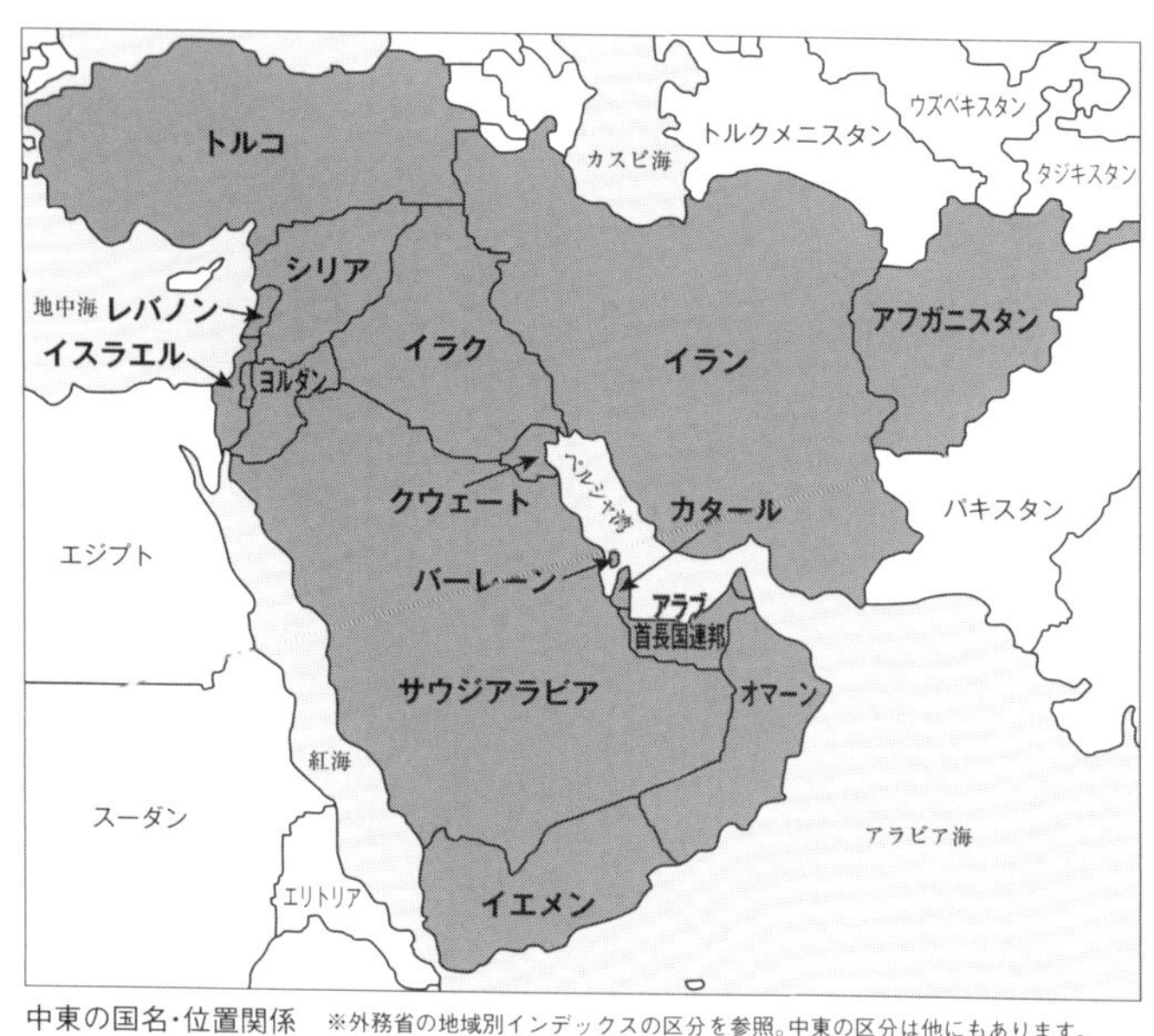

中東の国名・位置関係　※外務省の地域別インデックスの区分を参照。中東の区分は他にもあります。

います。トランプ大統領は、そのイランが核を持つ可能性を絶対に容認せず、大統領になった翌年二〇一八年には、バラク・オバマ政権の大失策であった「イラン核合意」を破棄し、イスラエルとアラブ諸国の両方を安心させました。さらに、二〇二〇年九月にはイスラエルとアラブ諸国の和解を促す「アブラハム合意」に署名しています。これによってイスラエルとUAE、さらに、イスラエルとバーレーンが国交正常化を果たし、後にはスーダン、およびモロッコもこれに加わります。

つまり、トランプは敵をイラン一国に絞り、対イラン包囲網としてイスラエルとアラブ諸国の連携を促したのです。もちろん、イスラエルと組んだアラブ諸国には経済的な恩恵もありました。なぜ、これほど〝手際の良い〟大統領を、EUと日本の政治家やメディアが攻撃し続けるのかが、よくわかりません。

一九八〇年に起きたイラン・イラク戦争の最中、私は二年半ほどイラクに暮らしておりましたが、あの戦争はペルシャvs.アラブという民族を意識した戦いでした。また、イランはイスラムの宗派としては少数派の「シーア派」で、イラクの政治エリートたちは「スンニ派」だったので、「シーア派」対「スンニ派」の戦いでもあった。いずれにせよ、イランはアメリカに酷いことをされた過去があるため、当時も今も頑迷な反米・親露です。

サウジアラビアのサルマーン国王（中央）とトランプ大統領（右）

ところが、そんな構図が電撃的に変わった。福井さんのおっしゃる通り、今年（二〇二三年）三月のサウジとイランの国交正常化では、バイデン大統領は蚊帳（かや）の外に置かれた感じでした。そこで、失点挽回のつもりで乗り出したはずのイスラエルとサウジの仲介は、ハマスのイスラエル攻撃のせいで凍結中。二〇二四年の大統領選を見越して躍起になればなるほど、アメリカの中東外交は失敗続きです。

だいたい、イラン核合意復帰もそうですが、湾岸産油国を敵に回すことが確実な気候変動政策に現を抜かしたりで、みすみすサウジを敵に追いやっています。トランプ大統領が線路を敷いたアブラハム合意を黙って継承していれば、今頃は、イスラエルとサウジの国交正常化は達成できていたのではないでしょうか。

（左から）バーレーン、イスラエル、アメリカ、アラブ首長国連邦によるアブラハム合意

バイデン大統領は、大量のドローンをイランがロシアに提供したと非難し、アメリカとイランの関係はますます険悪になっていますが、イランの内情というのは、どうなのでしょう。サウジとの国交正常化に走るというのは、追い詰められている証拠なのですか？

かつて親米国家だったイラン

福井：イランは人口が八〇〇〇万人を超え中東で最も多いうえ、教育程度も高く、今でも中東きっての強国です。アメリカにこれだけ制裁されても、平気だとはいわないまでも耐えてきているわけですから。

イラン・イラク戦争でも、敵の敵は味方ということなのか、アメリカはサダム・フセイン率いるイラクを支援しました。ところが、この戦争が終わった後、イラクがクウェートに侵攻したのを受けて、アメリカは湾岸戦争でイラクに大打撃を与えたのみならず、大量破壊兵器があるという事実に反する主張をもとに、フセインを破滅させました。

誰が敵で味方か目まぐるしく変わるのが世界政治の常といえばそれまでですが、アメリカという国はすぐに手の平を返しますからね。だからわからないですよ、日本だって。

イランにしても、そもそも一旦実権を失ったパーレビ国王を再度支配者の地位に就けたのはアメリカでした。しかし、パーレビには統治能力がなく、国を治めることができない。そこへホメイニというイスラム法学者の指導者が出てきて、王制は倒れ、イランは宗教色の濃い反米国家となったわけです。

川口：ドイツにミヒャエル・リューダース（Michael Lüders）という歴史家であり、地政学の研究者である人がいますが、ご存知ですか？　彼の書くウクライナや中東情勢が面白くて、イスラムやロシアなど、アメリカに楯突く国々が、近代以来、アメリカの二枚舌によって、いかに卑怯（ひきょう）で非情な目に遭わされてきたかということを、理路整然と分析しています。YouTubeでは彼の講演が多くアップされており、非常に勉強になります。最近、ようやく英訳付きのビデオもアップされ始めました。

イランについてはムハマンド・モサデクの時代まで遡って考察しています。モサデクが民主的な政府をつくった途端、それを嫌ったアメリカが巧妙にクーデターを仕掛けて潰した話です。イランの現代の悲劇の原点が、アメリカによるモサデク政権の転覆だというのが、リューダースの論です。

福井：一九四一年、ドイツ寄りだったイラン国王（皇帝）レザー・シャーが連合国に退位させられ、皇太子である息子ムハンマド・レザーが即位します。日本ではパーレビ国王として知られています。しかし、一九五一年に国会で圧倒的多数の支持を得て首相に選ばれたモサデクが政治の実権を握り、その民族主義的立場に基づき、イギリス支配下の石油利権の国有化を進めます。そこでイギリスはアメリカと結託し、CIA主導のクーデターが計画されました。対外介入に慎重なドワイト・アイゼンハワー大統領がモサデクに抑制的に行動するよう忠告したにもかかわらず、ソ連に接近し、アメリカからの離反を進めたため、大統領はCIAによるクーデターを承認、一九五三年八月にモサデク政権は倒れ、その代わりにパーレビが再度、イランの支配者に据えられました（*Divine, Eisenhower and the cold war*）。当時は米ソ冷戦の真っ最中であり、アメリカはソ連の介入を恐れていました。イランがソ連の手に落ちると、ペルシャ湾へのアクセスが実現し、インド洋へのソ連海軍展開が可能となります。実際には、モサデクはソ連を利用しようとしたものの、親ソではなく、介入されることを警戒していました。

川口：すべて私たちが、これはドイツも日本もという意味ですが、私たちが一切習わなかった歴史です。歴史の解釈は一つだけではないとは思いますが、福井さんや、リューダースの論を読むと、イランの人々がアメリカを憎む理由はちゃんとあると思えてきます。ただ、そのために、現在のイラン政権のやり方を支持するかどうかは、別問題ですが。

混乱をまき散らすのはいつもアメリカ

福井：ともかく、アメリカは世界中で同じようなことを繰り返しています。特に中南米ではやりたい放題です。一八九八年の米西戦争ではキューバの独立を支援すると称して開戦したのに、スペインを追い出した後は、キューバを事実上、保護国にします。その状態はフィデル・カストロに追い出されるまで続きました。一九〇三年には、運河建設をめぐりアメリカの意に沿わないコロンビアから、パナマ共和国を独立させたうえで、パナマ運河を建設したのみならず、運河両岸地帯を米領土としました。一九九九年にやっとアメリカはパナマに運河両岸を返還しました。

川口：リューダースに言わせれば、二〇〇一年九月一一日の同時多発テロ以降、アフガニスタン、イラク、シリア、リビア、イエメンに至るまで、アメリカが行ってきた軍事介入政策は、中東諸国の国家の崩壊をもたらし、無政府状態と混乱を招いた。そして、イスラム国のようなテロ組織の台頭もこの介入政策と因果関係があるとみています。

彼の観点から眺め直せば、今の国際情勢はまったく違った風景に見えてきます。

イラクについても非常に詳しく、イラクがアメリカのせいで混乱状態になって以来、五〇万人もの子供たちが無惨にも死んでいった責任はアメリカにあると断言しています。ところが普通のメディアではそういう意見がなかなか出てこない。

福井：そのことは当のアメリカでも、主流派ではない左翼と伝統的保守が取り上げて、自国政府を批判しています。アメリカ指導者の非人道性を示す例が、一九九六年五月、当時国連大使で後に国務長官となるマデレーン・オルブライトがCBSの報道番組《60 Minutes》に出演した際の発言です。これまで対イラク経済制裁でヒロシマより多い五〇万人の子供が死んだとされていることを問われたオルブライトは、「難しい選択だったけれども、犠牲に見合う価値があったと思う（we think, the price is worth it）」と断言したのです。この発言にはさすがに大きな批判が巻き起こりました。オルブライトは「五〇万人」という数字にも異議を唱えませんでした。YouTubeに動画がアップされているので、是非ご覧ください。

川口：そう、いつも冷静なリューダースが、その話のとき、怒りで身を震わせるようになったのが印象的でした。

イスラエルに「ノー」と言った最後のアメリカ大統領

福井：アラブ世界では英仏に植民地とされた歴史があるので、長年にわたり反英仏感情が広がっていたのに対し、アメリカは植民地支配とは無縁で、政治的関わりがあまりなかったので、反米感情は希薄でした。モサデク追放の少し後、一九五六年に「スエズ動乱」という軍事紛争がありました。エジプトのガマール・アブドゥル＝ナセル大統領がスエズ運河国有化を宣言し、これに反対して英・仏・イスラエルが出兵した「第二次中東戦争」あるいは「スエズ戦争」とも言われる軍事紛争です。このとき、軍事力行使に慎重なアイゼンハワー大統領は、力による現状変更は認めないという観点から、事実上、ソ連とともにナセル側に立ち、英仏そしてイスラエルに断固とした態度で撤兵を迫ります。アイゼンハワーはイスラエルに明確に「ノー」と言った最後の米大統領といえるでしょう。おそらく、このときがアラブ世界のアメリカへの好感情が頂点に達した時期です。しかし、せっかく築き上げた親米感情を、アイゼンハワー以降の米歴代政権が崩していき、今では中東で一番嫌われているのはアメリカといえる状況となっています。

川口：力に任せて勝手なことをしすぎたのですから、自業自得ともいえますが、アメリカは今では嫌われているだけでなく、中東での影響力も弱まってきていますから、そのアメリカに庇護されていたイスラエルとしては、不都合な状況でしょう。

破壊されたガザの建物（イスラエル南部から撮影）
2023年11月14日　©ロイター／アフロ

福井：イラクが国家として完全に崩壊し、リビアも同様の運命をたどり、中東の混乱は収拾がつかない状態となったのですが、イスラエルの安全は相対的に高まったともいえます。イスラエルからすれば、人口で自国を圧倒する安定した国民国家が周囲にあることは、ただちに武力衝突とはならないにしても、潜在的脅威ですから。ただし、最大の敵イランは残っています。

川口：先にも話に出ました「アブラハム合意」ですが、これはすでに二〇二〇年八月に結ばれて、イスラエルはＵＡＥと国交正常化を実現しました。そして、スーダンとモロッコもこれに続きました。しかも、今年（二〇二三）になって、イスラエルとサウジの国交正常化という、絶対に不可能だと思われていたことが中国の仲介で成立。エジプトやヨルダンは、すでにイスラエルと国交がありますから、これはイスラエルとアラブ諸国の本格的な雪解けの始まりといってもよい画期的な動きです。

ただ、そうなると、パレスチナは置いてきぼりにされる可能性が確実ですので、今回のハマスのイスラエル急襲は、その焦りに突き動かされた急進的な行動だったのではないでしょうか。

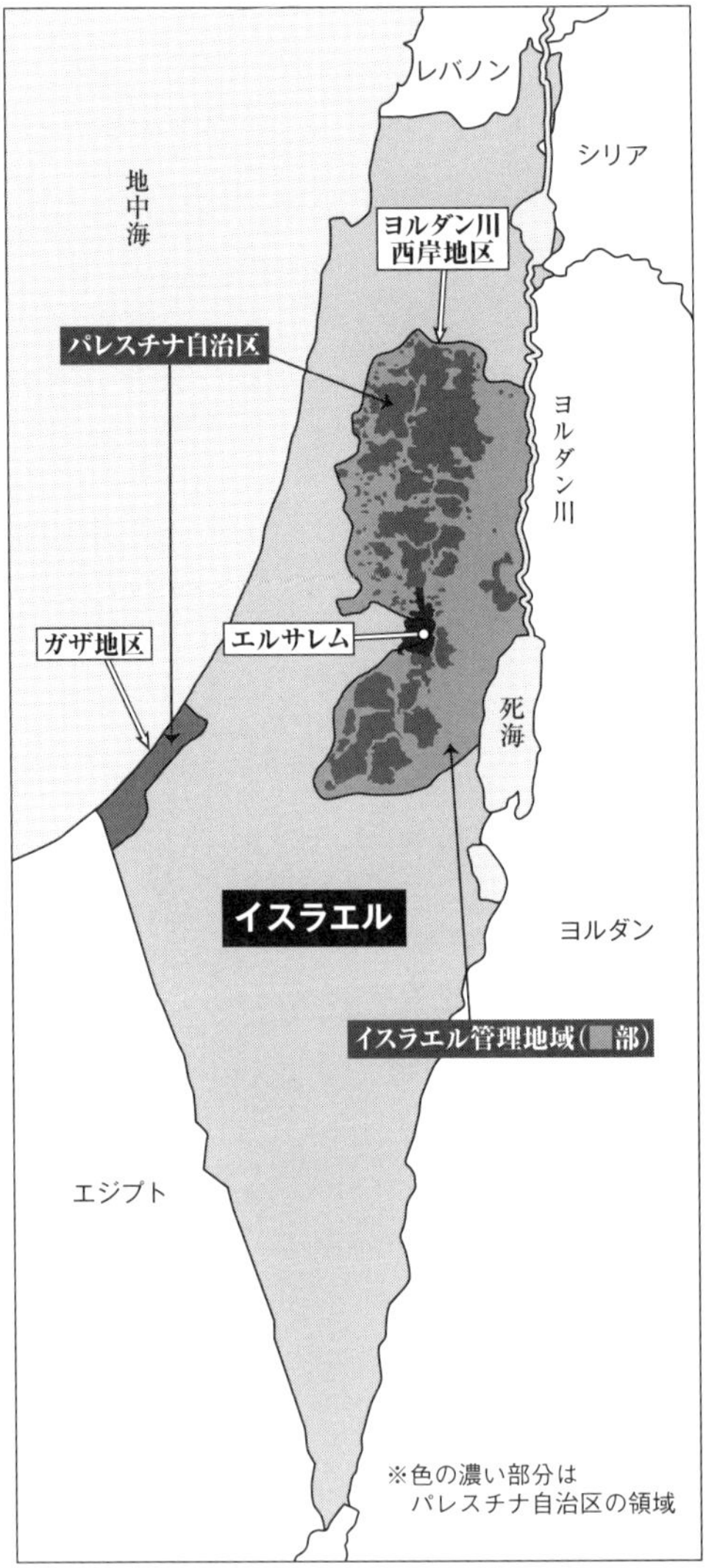

イスラエル周辺地図

福井：ハマスは当初、これほどの大事になるとは想定していなかったとも言われています。イスラエルから人質を連れ去り、イスラエルで拘束されているパレスチナ人奪還の交渉材料にするのが目的だったというのです。この説が正しいかどうかはともかく、今回の奇襲の大成功は、世界中で畏怖されているイスラエル軍と情報機関モサドの威信を大きく傷つけました。攻撃を予測できなかったばかりか、やすやすとハマスの侵入を許しました。当初、現地部隊はほとんど抵抗できず、兵士と民間人に一〇〇〇人強の犠牲者が出ました。面目をつぶされたイスラエル軍による反撃はすさまじいスケールのものとなり、ガザ地区は焦土と化し、ハマスの攻撃によるイスラエル人犠牲者の一〇倍以上の犠牲者が出ています。ほとんどが子供を含む一般民衆です。ただし、これまでイスラエルとの対立でパレスチナ人が犠牲になっても、欧米主流メディアではほとんど取り上げられなかったのが、今回のガザ地区の惨状は大々的に報道されています。そのため、アラブ諸国だけでなく、欧米でもパレスチナ人に同情が広がっており、結果的にハマスの無謀ともいえる攻撃は、耐え難い犠牲を伴ったものの、政治的には成功だったということもできます。

川口：私はそれどころか、武力ではなく、情報戦では、今回は完全にハマスの勝ちだと思っています。実はイスラエルは、一〇月七日の朝、捕獲、あるいは殺害したハマスの兵隊たちが衣服に付けていたボディカメラの映像を入手しているらしい。つまり、そこには、ハマスがどのようにイスラエル人を急襲し、殺戮していったかが、そのまま写っているわけです。

ところが、そのあまりの残酷さに、イスラエル政府はそれを一般公開できず、ジャーナリスト数十人にのみ公開したそうです。それを見たドイツ系のイスラエル人記者の話では、海千山千の同業者たちが、皆、ショックで固まってしまったといいます。

ただ、映像がなければニュースバリューはゼロなので、それについては報道もされない。その代わりに世界に出回っているのは、現在、イスラエルの〝戦争犯罪〟ばかりです。

そもそも、パレスチナ問題というのは、一九七〇年代、日本赤軍がPLOなどのパレスチナ解放運動に共鳴してハイジャックやらテロを起こしていた時代から耳にはしていたものの、じゃあ、何がどう問題なのかというと、よく知らない人がほとんどでしょう。あるいは、聞いてもしばらく経ったら忘れてしまう。

だから今回も、最初、イスラエルが急襲され、人質が連れ去られる凄惨な映像を見ると、ハマスは酷いと思うけど、そのうち、イスラエルの激しい攻撃でパレスチナのライフラインが破壊され、生まれたばかりの赤ん坊までが虫ケラのように死んでいく映像が出始めると、世論は一気にパレスチナに同情的なものに変化しました。あのような映像を見て、平気でいられる人はいません。

私たちだってショックを受けるのですから、世界中のアラブ人がこれを見て立ち上がらないはずはない。しかもこうなると、ユダヤ人は数ではアラブ人に絶対に敵いません。

一方、ドイツ人のジレンマは、パレスチナ人道支援を叫ぶと、パレスチナ人を苦しめているのはイスラエルなので、これは禁断のイスラエル非難に繋がってしまうことです。ドイツはイスラエルとの連帯を国是としていますから、ぼんやりしていると、国内のアラブ人の決起で治安がおかしくなるという危険まで抱え込んでしまいました。メルケル首相が無制限に入れたのは、ほとんどが中東からの難民ですし、アラブ人はとにかくたくさんいるのです。

そして、メディアはいい気なもので、ハマスが提供しているパレスチナの凄惨な映像を流しながら、「第三次世界大戦」にまで言及し、視聴者の恐怖を煽っている。怖い映像は視聴率が取れるのです。

以上が、情報戦ではハマスが完全に勝っていると私が思う理由です。

中東紛争の火種、やはり一番悪いのはイギリス⁉

福井：アメリカがアラブ世界の二大世俗国家であったフセインのイラクとムアンマル・カダフィのリビアを倒し、逆にイスラム原理主義が広がって、その脅威にさらされているのは、因果応報というか、皮肉な事態です。

川口：アメリカも悪いですが、今の中東紛争の火種をつくったのは、当時の大英帝国、イギリスではないですか。

一九一六年にイギリスとフランスとロシアが結んだ秘密協定「サイクス・ピコ協定」は、中東の分割を画策したものです。当時の中東とは、トルコ人のオスマン帝国のことで、この協定により、オスマン帝国は英仏露のシナリオ通り分割され、レバノン、シリア、イラク、クウェートなどが、砂漠のなかに定規で線を引いたようにできあがりました。

協定の原案は、イギリス人マーク・サイクスと、フランス人フランソワ・ジョルジュ＝ピコがつくったことから、サイクス・ピコ協定と呼ばれるのですが、協定が結ばれたのはロシアのペトログラード。英仏露三国の狙いは、もちろん、植民地と石油の利権の山分けでした。ただ、そのとき、イギリスが後世にまで悪名を馳せるいわゆる「三枚舌外交」を展開します。サイクス・ピコ協定を結びつつ、その裏で、中東のアラブ諸国に対しては独立を約束する「フサイン＝マクマホン協定」を結ぶ。さらにユダヤ人に対しては、パレスチナにユダヤ民族の「ナショナル・ホーム」を建設しようという「バルフォア宣言」を出す。「国」と言っていないのが極めて狡い。イギリスらしいと言えば言えますが、この、まさに詐欺師のような無責任行動が現在にまで尾を引いているから、いまだに中東には平和が訪れないと言っても過言ではないでしょう。そして、それを一〇〇年間、見て見ぬふりをしてきたのが欧米の列強で、よりによってその人たちが今、パレスチナとイスラエルの仲介をしようなどと頭を捻らせてもうまくいくはずがありません。偽善の上塗りのようにしか、私には見えませんね。

福井：確かに、イギリスの責任は大きい。しかし、事実上イギリスの植民地だった旧パレスチナ委任統治領における今日のパレスチナ人とユダヤ人の絶望的なまでの対立を理解するには、イスラエル内部の変化を知ることが重要です。

第二次大戦後の建国以来、イスラエルの政治を主導してきたのは、ヨーロッパの社会民主主義政党に近い労働党とその前身政党でした。「オスロ合意」時の首相イツハク・ラビンも労働党です。後に首相となるメナヘム・ベギンやイツハク・シャミルのような建国前にはイギリスからテロリストとみなされていた強硬なナショナリストは、政界ではアウトサイダーでした。ところが、徐々にこうしたイスラエル拡大主義者が集う政党であるリクードが支持を広げ、労働党と並ぶ二大政党となり、ベギンやシャミルが首相となります。ネタニヤフ現首相もリクードです。今では労働党は弱小政党になり下がり、より強硬な勢力の伸長でリクードが「中道」に見える事態となっています。

ベンヤミン・ネタニヤフ首相

さらに、当初は世俗主義的傾向が強かったイスラエル社会で、ヘブライ大学教授だった故イスラエル・シャハクが「ユダヤ・イデオロギー」(Jewish ideology) と呼んだ、民族宗教としてのユダヤ教に基づく排他的思考が広がります。その中核となるのが「土地の償還」(Redemption of Land)、つまり神に与えられた土地はすべてユダヤ人に償還されるべきという考え方です（*Jewish history, Jewish religion*）。ユダヤ原理主義と言うことができるかもしれません。

今回の対ハマス戦争で、自身はどちらかといえば世俗主義的政治家ながら、ユダヤ原理主義勢力の支持に依存するネタニヤフ首相は、二〇二三年一〇月二八日の国民に向けた演説で、旧約聖書の言葉「アマレクがしたことを思い起こしなさい」（申命記二五章一七節、新共同訳）を引用し、ハマスをアマレク人に譬えました。この言及にはさすがに批判の声が上がりました。なぜなら、旧約聖書の別の箇所に「アマレクを討ち、アマレクに属するものは一切、滅ぼし尽くせ。男も女も、子供も乳飲み子も、牛も羊も、らくだもろばも打ち殺せ。容赦してはならない」（サムエル紀上一五章三節）とあるように、アマレク人は絶滅の対象だったのですから。

シャハクも指摘しているように、「ユダヤ・イデオロギー」に基づく領土拡大政策は、国際関係など現実的考慮を忘れない狡猾な帝国主義的拡大策とは違います。外部からどう思われようとも、原理の貫徹が優先されるのです。

戦後のエジプト軍をつくったドイツ国防軍

福井：中東の歴史にはドイツも深く関わっています。その一つが、第二次大戦後、エジプト軍近代化にドイツ人が多大な貢献をしたという事実です（Kinross, *Nazis on the Nile*）。

ヒトラーによる侵略戦争に加担したとして、戦後、ドイツ軍や親衛隊将校は日陰の存在となり、その責任を問われたものも多かった。そういう人たちの一部はエジプトなどアラブ諸国に渡り、現地で重用されたのです。その数は技術者も含め、数千人にのぼります。

ドイツ人技術者によるエジプトのロケット開発を阻止するため、一九六二年から六三年にかけて、モサドは長官イサル・ハルエル主導で「ダモクレス作戦」の名の下に、ドイツとエジプトでドイツ人ロケット技術者の暗殺を企て、実際、死者も出ました。しかし、作戦が露呈してしまい、イスラエルとドイツの関係が悪化、ハルエル長官は辞任し、作戦は中止されました。

イスラエルからすれば、エジプトのロケット、つまりミサイルは当然自分たちに向けられるわけですから、その危機を危惧（きぐ）した作戦だったのです。イスラエルは日本とは対極的に、国際法がどうあれ、実力行使に躊躇（ちゅうちょ）しません。

川口：周りの脅威が大きすぎるので、まず自衛が優先されるわけですね。そうでなくては、国家自体がなくなってしまう危険がある。

福井：西ドイツの初代首相であるアデナウアーも、失敗に終わりましたが、暗殺されかかりました。戦後、「ホロコースト」と呼ばれるヒトラーによる大量虐殺へのユダヤ人の怒りは大きく、後に首相となるベギンは一九五二年一月七日、「アデナウアーは人殺し、すべてのドイツ人は人殺しだ」という演説を行い、当時イスラエル首相だったダビド・ベングリオンが進めるドイツからの資金援助計画に対し、殺人民族からカネをもらうことは許さないと首相を非難します。そして、三月七日にユダヤ人過激派によるアデナウアー暗殺事件がミュンヘンで起こりました(Sietz, *Attentat auf Adenauer*)。それから半世紀以上たち、すでに亡くなっていたベギンが首謀者の一人であったことが明らかになりました(『フランクフルター・アルゲマイネ・ツァイトゥング』二〇〇六年六月一三日付)。

ヴィリー・ブラント

アデナウアーはヒトラー時代の蛮行を反省しつつ、民族としてのドイツ人の尊厳を守ろうとしていました。ドイツが連合国やユダヤ人に全面的に屈服するようになったのは、社民党で戦後最初に首相となったヴィリー・ブラント以降でしょう。

ブラントというのは極左政党SAPDの党員で、ヒトラーの政権獲得後に亡命し、戦中は連合国側の人間として活動していました。そして、戦後、帰国して首相に就いた。日本でいえば共産党の野坂参三に近い存在です。

コンラート・アデナウアー

ブラントは東側との雪解けをはかる「東方外交」を推進し、西ドイツの歴代首相が拒み続けたドイツとポーランドの国境となっていた「オーデル・ナイセ線」を承認します。さらに、一九七〇年一二月七日、その条約署名のためポーランドを訪れた際、自分は加害者ではなく被害者側だと思っているのか、誰も予想していなかった「ワルシャワでの跪き（ひざまづき）」(Kniefall von Warschau) とのちに呼ばれる行動に出ます。ワルシャワ・ゲットー蜂起記念碑の前でひざまずいたのです。

川口：私もそう思います。彼はドイツ人を、良いドイツ人と悪いドイツ人に分け、自分は良いドイツ人だと思っていた。それを如実に表しているのが彼の著書、『犯罪者とその他のドイツ人』というタイトルです。ブラントは、自分がその他のドイツ人だと思っている。今のドイツ人も多かれ少なかれ似た傾向があって、みな自分はヒトラーとは関係がなく、良いドイツ人だと思っています。

だから今でも、一〇〇歳に近いような人を探し出してきては、八〇年も前に強制収容所で秘書や、看守や、帳簿係として働いていたからといって、裁判にかけて有罪にするのです。その当時、一八やそこらの若者が親衛隊に憧れたとして、その周りにいた大人の責任はないのですか？

日本人ならおそらく、自分もその頃に生まれていたら、同じ間違いを犯したかもしれないぐらいの想像力は働きますが、ドイツ人にはそれがない。自分はあくまで「善」で、証拠を見つけ次第「犯罪者」を裁くのです。

フリーメーソンとユダヤ人が支援したトルコ建国

福井：第1章でヒトラー政権の中央銀行総裁を務めたA級戦犯シャハトがユダヤ人の移住政策に関わっていたことを話しましたが、彼はトルコ共和国建国にも関与していました。

現在のトルコは、イスラムの盟主を自認していたオスマン帝国支配層に批判的な青年トルコ党の系譜にあります。青年トルコ党はトルコ人による国民国家建設を目指す革命集団であり、世俗的傾向が強くイスラム色が薄かった。そのため、反ユダヤで反動の拠点とみなされていたロシアを敵視するユダヤ人とフリーメーソンは、青年トルコ党を支援します。帝政ドイツも反ロシアでの共闘を期待し、フリーメーソンのシャハトが関わっていたのです。こういうことを言うと根拠なき「陰謀論」という紋切型の批判を受けそうですが、研究者の間ではよく知られた事実で、いくつか本も出ています（Jäger, *Hinter dem Großen Orient; Friedman, Germany, Turkey, and Zionism 1897-1918*）。

こうした青年トルコ党、ユダヤ人、そしてフリーメーソンの関係は、おそらく日本ではほとんど知られていないでしょう。

ヨーロッパでナショナリズムが高揚するなか、ユダヤ人の間でも同化ではなく、ユダヤ人の独自国家建設を目指すシオニズムが高まります。オスマン帝国のユダヤ教指導者ハイム・ナフムは一九〇八年、青年トルコ党は当時帝国領だったパレスチナへのシオニストの入植に寛容だと述べています。さらに、青年トルコ党はオスマン帝国内で影響力を持っていたギリシャ人とアルメニア人に対抗するためにユダヤ人との同盟を必要としていると、ナフムは見ていました。実際、アラブ人もギリシャ人もアルメニア人も反青年トルコ党で、トルコ人とユダヤ人の利害は一致していたのです。そして、ユダヤ人と青年トルコ党との協力関係にはフリーメーソンも関わっていました。

トルコとイスラエルの友好関係にはこうした長い歴史があるのです。

川口：それは知りませんでした。だから建国当時のトルコは世俗国家だったのですね。

福井：ケマル・アタチュルクによる共和国建国以来、トルコは政教分離を国是とし、女性の権利向上を進めます。女性がヒジャブと呼ばれるスカーフを着用することは望ましくないとされ、実際、未着用が進みました。イスラム教はアラブ諸国と違い、トルコにとってある意味、外来宗教だったということもあり、トルコ民族としてのアイデンティティを優先し、近代化することを目指したわけです。

ですから、エルドアン大統領の下、近年のトルコは建国の理念から外れてイスラム化しているともいえます。さらに、トルコは長年ハマスを支援してきており、今回のハマスとイスラエルの軍事衝突にあたっても、ハマス寄りの姿勢を示しています。

ケマル・アタチュルク

川口：エルドアンの奥さんも必ずスカーフを着けてい

ます。ドイツ国内でも、確かに四〇年前よりスカーフのトルコ人が増えているような気がします。とても近代的で、教養もありそうなトルコ人女性が、ジムでスポーツをした後、綺麗にお化粧をして、スカーフを巻いて颯爽と出ていくのはしょっちゅう見ていました。だから、イスラム化が反動と言い切れない傾向も感じます。自分たちはすべて西洋人の真似をするわけではないのだという、トルコ人としてのアイデンティティかもしれません。

エルドアン大統領

トルコ移民の祖国へのジレンマ

川口：ドイツ国籍のトルコ系移民の教師が、授業中にスカーフを巻いていたことが、法律で定められた公務員の宗教的中立義務に反するとして、裁判沙汰になったことがあります。バイエルン州でのことです。

ドイツにトルコ人労働者が大量に入り始めたのは一九六〇年代だから、すでに半世紀以上が過ぎました。もとはといえば、労働力の不足していたドイツと、貧困に喘いでいたトルコが、政府間で取り決めた話で、トルコ人が勝手に入ってきたわけではありません。それどころか、募集をかけ、健康診断までして、特別列車を仕立てて入れていたのです。

そのほか、トルコ国籍のクルド人も、こちらはトルコ政府から迫害されているという理由で、政治亡命者としてたくさん入りました。つまり、ドイツにはトルコ移民が多いと言われますが、よく見ると、クルド民族がかなりの割合を占めているのです。

いずれにせよ、このときにやって来たトルコ人が、ドイツ経済の発展に大いに寄与したことは確かです。ただ、誤算だったのは、仕事がなくなれば帰国すると思われていた彼らが、ドイツ国内が不況になっても帰らなかったことです。そして、もう一つは、その一部がマフィアのような同族犯罪グループを組織し、今ではそれが国際的な犯罪組織へと成長し、治安を乱していることです。

すでにドイツ国籍を取得しているトルコ人も多く、そういう人たちまで含めると、今やドイツに暮らすトルコ系移民は三〇〇万人にものぼる。移民系全体で見れば、ドイツの人口八三〇〇万人弱のうち、すでに二三八〇万人、つまり、二八・七%が外国人か、外国系の人たち

クルド人の居住地域

です。もちろん、私もその一人ですが、実際に都会では、ここはどこの国かと思うほど外国人の姿が増えています。

ケルンはノートライン－ヴェストファーレン州にある都市で、隣のデュッセルドルフと並んで、外国人の割合が三割を超える地域です。もちろんトルコ人の数も多く、トルコ政府は外国にいるトルコ国籍の人にも選挙権を与えていますから、トルコの選挙のときは、トルコ系移民たちが湧き立ちます。以前は、エルドアン大統領が選挙運動のために訪れ、大集会を開いたこともありましたが、最近、ずっと来ないところをみると、ドイツ政府が許可しないのかもしれません。ドイツに住むトルコ人の間で圧倒的に人気があるのが、エルドアン大統領です。

外国に住むと、たいていの人は愛国心が芽生えますから、ドイツのトルコ系の人たちが、保守的な愛国主義を標榜するエルドアンを支持したくなるのは、当然といえば当然ですが、ドイツ政府とドイツの主要メディアはおおむね左派なので、エルドアン政権をあからさまに批判します。在独トルコ人のエルドアン支持は、おそらくそれに対する反発もあるでしょうね。

特に、二〇一六年七月のクーデター未遂事件の後に、トルコ政府による大々的な粛清が始まってからは、もっぱらエルドアンは独裁者、反民主主義者、悪の権化といった報道ばかりです。こうなると、ドイツ在住のトルコ人たちは、本当はエルドアンを一〇〇%支持しているわけでなくても、自分たちが攻撃されたように感じるので、エルドアン側に立ちます。いくらドイツで生まれ、ドイツで学校に行き、ドイツで仕事をし、多くの時間をドイツ人とともに過ごしていても、帰属意識はそう簡単に変わるものではありません。私も、四〇年もドイツにいても、自分は日本人だと思っていますし、日本の国籍をドイツのそれと取り替える気もありませんから、それと同じでしょう。

ここまでたくさんアラブ人を入れてしまっているドイツにとって、今後、どうやって国内のイスラム教徒と折り合っていくのかというのが、難しい課題です。

特に、イスラエルのパレスチナ攻撃が始まってからは、ユダヤ関係の施設、シナゴーグや学校などに火炎瓶が投げ込まれたり、ダビデの星の落書きがされたりという被害が、数百件も起こっています。心配で子供を学校に行かせられないというユダヤ人の家庭まで出てきました。戦後七八年も経って、ドイツは再び、ユダヤ人が迫害される事態に陥ってしまった。

しかし、それを厳しく取り締まると、今度はイスラムテロが起こる可能性がある。ドイツの政治家の苦悩は大きいと思います。

膨大なアラブ系の住民との共存と、ドイツの国家理念ともいえる「ユダヤとの連帯」をどう両立させるのか、これは簡単には答えの出ない問題です。

ソ連化するドイツで急接近する「極右」と「極左」

左傾化したドイツでＡｆＤの台頭は必然

川口：現在のドイツでの政党の勢力図は、保守とリベラルでは分けられません。保守が規則に厳格で、リベラルがその名の通り自由というのは、まるで当てはまらない。従来ならリベラルと思われているはずの「ＳＰＤ（社会民主党）」と「緑の党」は、自由を抑圧し、人々にさまざまなことを強制し、たとえば、どんな車はいけないとか、何を食べるべきだとか、どんな暖房を使えだとか、とにかく国民の生活に干渉どころか、強制をしてくる。しかも、今の政権になって以来、性別は男女二つだと主張する生物学者や、温暖化はドイツがCO_2を減らしたからといって抑制できないと諭す物理学者が、あたかも差別主義者のように扱われるようになって、〝間違った意見〟や〝間違った政党〟を支持すると、世間で爪弾きにされるという雰囲気が加速してきました。こんな不自由を強いる政党がリベラルであるはずがありません。けれど、国民はこれが民主主義だと思い込まされているように見えます。

緑の党は、今では環境党のような顔をしていますが、元は新左翼に端を発し、結党当時は極左の活動家などがたくさんいました。その頃の党員やシンパは、保守政党に対抗して、自由やらカオスを求めていたのでしょうが、今の緑の党は、完全に都会に住むエリート集団で、その主張はすでに普通の国民の要求からは乖離（かいり）しています。ただ、それでも彼らの奥に潜む極左の精神はいまだに健在だと、私は見ています。現在、貧乏人の味方は「左派党」ですが、この党は旧東ドイツの独裁党ＳＥＤの流れを引いていて、今も従来通りの共産党の決まり文句を言っていますから、どんどん落ちぶれており、程なく消えゆく運命にあるでしょう。

なお、中小企業や地主など中産階級を支持層としていたのが、「自民党（ＦＤＰ）」で、この党は政党名にリベラル（自由）という言葉が入っていますが、その主張は基本的に保守です。つまり、個人の自由を尊重し、経済は市場に任せろ、そのためには政府はできるだけ引っ込んでいろという意味でのリベラルで、緑の党や社民党の、政府の権力を強める全体主義的な動きには断固反対しています。これが、本来のリベラルの姿ではないかと私は思っていますが、国民にはなかなか理解されず、この党も、目下のところ極めて不調です。

福井：現在「リベラル」と呼ばれている勢力は、かつては日本語でも英語でも「進歩派」（Progressive）と呼ばれていました。それに対し、かつてリベラルと呼ばれていたのは、議会制デモクラシーと経済的自由主義を是とする「ブルジョア民主主義者」です。だから、保守政党が「リベラル・デモクラティック・パーティー」つまり自由民主党を名乗っていてもおかしくないのです。

英仏と異なり国民国家化が遅れたドイツには、一九世紀以来、ナショナリストであり自由主義者であるという国民自由主義者（Nationalliberal）が政治の世界で無視できない存在となりました。戦間期ワイマール共和国の支柱であったグスタフ・シュトレーゼマンはその代表例です。戦後に結党された当初、FDPは国民自由主義者の政党としての性格を持ち、英米仏との連携を重視するアデナウアーが率いるCDUよりも、ドイツの独自性を重視していました。ただし、徐々に経済的自由主義に特化した政党となり、今日に至っています。

なお、ドイツにおける歴史的経緯とは別に、近年、一般的理解では相容れない考え方とされるナショナリズムとリベラリズムを融合した「ナショナル・リベラリズム」あるいは「リベラル・ナショナリズム」を唱える研究者もいます（Tamir, *Liberal nationalism*）。

川口：一方の右派ですが、元々はCDU／CSU（キリスト教民主同盟／社会同盟）が保守を自認し、特にCSUは、自分たちの右側に政党はないと主張してきました。しかし、メルケル政権の後半、CDUがどんどん左傾化したため、CSUはそれに抵抗しながらも、自分たちの保守の立場は死守しなければならず、だけど、CDUとの連携を崩すわけにもいかないと、余計なエネルギーを使う羽目になりました。保守がそんなふうにガタビシして不在になり、保守の支持者が路頭に迷っていたところ、この空白を、すっぽり埋める存在がＡｆＤ（ドイツのための選択肢）だったのです。

ＡｆＤは、二〇一三年にＥＵの金融政策に反対した経済学者らがつくった党です。つまり、元々は右翼でも左翼でもなかった。ところが、二〇一五年にメルケルが独断で国境を開き、無制限に中東難民を入れ始めたとき、ＡｆＤ党内の右派がそれを声高（こわだか）に批判したことが注目を浴びました。このとき、ＡｆＤの支持率が急上昇したのです。

ただ、当時は、ＡｆＤ以外の党は皆、メルケルを賞賛し、メディアはドイツの人道的行為に酔いしれたような報道をしていましたから、ＡｆＤにはあっという間に反人道、反民主主義のレッテルが貼られました。また、ＡｆＤの党内でも、経済学者とその他の勢力との間で方針に温度差が出て、結局、新興の党にありがちな内部抗争に発展、今ではメンバーが創設時とはごっそり入れ替わっています。

福井：ドイツではメルケル首相の下で、事実上、総与党化が進み、メルケル自身の表現を使えば、国民は「選択肢なし」（alternativlos）の状況に置かれていました。そこに、ドイツ人に新たな選択肢を提示する政党、「ドイツのための選択肢」（Alternative für Deutschland）が現れたというわけです。

川口：既存の政党と主要メディアによるAfDへの攻撃は、凄まじいです。AfDの排除のためには、あらゆる手段が正当とみなされ、投票してはならない党、連立してはならない党として糾弾し、論争の場も与えない。だから、AfDは公共の電波に乗ることもなく、議会で重要な発言をしても、たいていニュースには出ません。少なくとも、発言の重要な部分は出ない。これらの措置はすべて、CDUの言葉を借りれば、民主主義の防衛のための「防火壁」なのです。

二〇一八年の一一月、連邦憲法擁護庁（国内向けの諜報活動を担当する庁）の長官であったハンス＝ゲオルク・マーセン（Hans-Georg Maaßen）が突然、任を解かれた事件がありました。氏が、旧東独のケムニッツという町で移民が迫害された証拠として広められたビデオの信憑性に疑問を呈したこと、そもそも当時のメルケル政治に批判的だったことが、クビになった原因と思われます。マーセンは三〇年来のCDUの党員でもあり、また、ヴェアテウニオン（WerteUnion）という保守グループの代表も務めており、現在、前にもまして活発な政治活動に励んでいます。なお、ヴェアテウニオンには、現在のCDUに満足していない保守の政治家や実業家など、かなりの著名な人々も加わっていますが、CDUはそれを、あたかも存在しないかのように完全に無視しています。そのマーセンが最近あちこちで、CD

UのいうAfDに対する「防火壁」を批判し、「壁を築く者は（真実を）恐れる者だ」ということを主題に講演していますが、非常に印象的です。これもYouTubeにたくさんアップされています。しかし、マーセン自身は、「自分はCDUにとどまる」としてAfDからのアプローチには応じませんでした。

そもそも、AfDの主張は、実際にはメルケルが首相になった頃にCDUが主張していたこととさして変わりません。ただ、それを認めると、CDUは足元が崩れる。だから、政治論争は避け、結局、AfDは反民主主義だとか、ナチだとかという理由で封じ込めるしかない。その圧力たるや凄まじいもので、今やマーセンなき憲法擁護庁なども、それら封じ込めの試みに率先して加わっています。確かにこれこそAfDに対する恐怖感の表れでしょう。

福井：ドイツに限らず、冷戦後、西側諸国の保守政党は、政権を取る取らないにかかわらず、今日的な意味でのリベラルが求める、ほとんどの国民が望んでいない政策に一定の歯止めをかけるのが精いっぱいで、政治的には敗北し続けてきました。移民問題はその典型例でしょう。その結果、ドイツでは既成政党に失望した人たちがAfDに期待をかけ、支持が広がっているわけです。

川口：ちなみに、今になって、既成の党は皆、自分たちのやってきた移民・難民政策の間違いを認め始め、その修正に躍起になっています。そして、ＡｆＤが前々から言っていたことを、あたかも今、自分たちが思いついたかのように主張しています。この調子では、ＡｆＤの名誉回復など、絶対になさそうです。

日本での報道は、ドイツ政府寄りの主要メディアの報道をそのまま使っていますから、ＡｆＤというのは極右のとんでもない党だと思っている人が今でも多いと思います。

でも、ドイツでは、多くの人はＡｆＤがとんでもない党だなどと思っていませんよ。でなければ、これだけ不当に抑圧されながら、どんどん支持が増えていくという現象をどう説明すればいいのですか？　ドイツ人が皆、ナチであるはずはないでしょう。

ドイツ社会がおかしくなっているなと感じるのは、ＡｆＤ支持を表明できないという現状です。ＡｆＤと言った途端、あっという間にネオナチの烙印を押され、社会生活が営みにくくなるのです。二〇一八年のことですが、サッカーのブンデスリーガのアイントラハト・フランクフルト、およびハンブルガーＨＳＶの両ファンクラブが、ＡｆＤの支持者を締め出すと言いだしたときは、私は耳を疑いました。

理由は「民主主義の価値観を共有できないから」。ドイツ人特有の「自分たちが善」の思想です。でも、これが言論の自由の抑圧でないとすれば、いったい何でしょうか。スポーツ界も地に落ちたものです。

福井：外で話していることと家のなかの会話が違うということですよね。かつての共産圏諸国のように監視社会化しているということでしょうか。しかし、ＡｆＤはもともと強かった旧東ドイツの州だけでなく、バイエルンなど旧西ドイツの州でも躍進が著しい。

川口：それを証明したのが、一〇月八日に行われたヘッセン州とバイエルン州の州議会選挙でした。ドイツは連邦制ですから、州議会の権限が強いのですが、この二つの選挙は、実は、中央のショルツ政権に対する中間評価としても注目されていました。その結果、ボロ負けしたのが、社民党、緑の党、自民党で、まさに今の与党三党。一方、ＡｆＤが破格に伸びました。これまでは、ＡｆＤの支持者は旧東ドイツの、民主主義が身の丈に合わない遅れた人たちのように誹謗（ひぼう）されてきましたが、ヘッセンもバイエルンも西側の州です。

ＡｆＤ排除が生む歪んだ連立政権

川口：こうなった背景には、政治家やメディアがどんなにバッシングしようとも、国民は見るべきものは見ていたという事実があると思います。

国会中継では、空席だらけの議事堂の一角で、常に全員が揃っていたのがAfDだったし、ちゃんと勉強し、多くの質問を提出しているのもAfDでした。確かに党のなかにネオナチっぽい政治家がいたことは否定しませんが、でき立ての党は往々にして玉石混交（ぎょくせきこんこう）だし、また、それ自体が人々の目を引くための作戦の一つであった可能性もあります。

しかし、党の基盤が固まってくるにつれ、本当に問題のある人物は次第に淘汰されていくし、しかも、同党にはそれを補ってあまりある極めて優秀で芯の通った政治家がいるのです。現在のAfDでは、ある程度の過激さは残しつつも、国政に携われる党になるべく、慎重な調整が行われている感じがします。

ただ、喫緊の問題としては、他党がAfDとの連立を拒絶している限り、今、国政でも州政でも、残りの党と連立を組まざるをえず、それがろくなことにならないのです。その最たるものが今のショルツ政権で、水と油の「緑の党」と「自民党」が一緒になっています。これは、絶対にうまくいくはずがないと、私でさえ思っていましたが、案の定、その通りになっていて、今やドイツ政府の目標は、「政権内での喧嘩を少なくする」という、信じられないほど低級なレベルにまで成り下がっています。しかも、その目標さえ達成できていないのです。
そのうえ、どの党も、政権を取るには緑の党を連立に引き摺り込むしか過半数を取る手立てがないため、次の選挙を視野に入れると、社民党もＣＤＵも緑の党には逆らえない。この歪んだ状況は州レベルでも同様で、緑の党は現在、すでに全一六州のうち一一州で与党側にいます。つまり、ＡｆＤを追い落とそうと躍起になっている間に、緑の党をキングメーカーにしてしまったのです。そして、そのせいで、本来は、実力不足の緑の党が、エネルギーや経済や外交という最重要なポジションを担って、はっきり言って、ドイツはメチャクチャになっています。

福井：国民の声を公平に反映するとして比例代表制を支持する知識人は多い。しかし、現在のドイツ政治を見ると、比例代表制の深刻な欠点が露呈しています。かつてはＣＤＵ・ＣＳＵと社民党という二大政党プラス自民党だったドイツでも多党化が進み、最近では第一党でもせいぜい三割程度の得票数です。したがって、必ず連立政権となるうえ、その組み合わせも選挙前にはわからず、選挙後の合従連衡（がっしょうれんこう）は政党間の取引で決まるので、国民は蚊帳の外です。そのため、国民が保守的政策を望み、選挙でＡｆＤが支持を伸ばしても、最初からＣＤＵがＡｆＤを連立対象から除外しているため、ＡｆＤの得票率が上がるほど、逆にＣＤＵ

は政権を維持するためには、左翼勢力にすり寄らざるをえない。そのため投票で示された国民の声と真逆の政策が行われやすくなるのです。比較第一党が過半数を得る可能性が高い小選挙区制のほうが、まだ民意を反映しているといえます。

川口：ただ、こんなことがずっと続くとも思えず、これからの動きとしては、地方でボチボチと、AfDの政治家が実権を握る市町村が出てくるでしょう。二〇二三年六月二五日には、旧東ドイツのチューリンゲン州のゾンネベルクという郡で、ドイツ初のAfDの群長（地方官吏）が誕生しました。選挙日である一一日の投票では過半数を満たす候補者がいなかったため、二五日の決選投票となり、AfDを勝たせてはなるまいと、対抗馬のCDUの候補者を他の全政党が団結して応援したにもかかわらず、AfDのロベルト・ゼッセルマンが五二・八％で当選したのです。来年は、チューリンゲン、ザクセン、ブランデンブルクと、旧東ドイツの三州の州議会選挙もありますので、それが非常に注目されています。

福井：AfDが過半数は無理でも国政で第一党になれば、今のようなAfD村八分体制はもう維持できないでしょう。これまで、そのような可能性はないと思われてきましたが、最近のAfDの勢いをみると、現実味を帯びてきました。次の総選挙では二割の支持を得るとみられています。そもそも、有権者の二割が「極右」なわけはないでしょう。移民やその子孫からの支持はほとんどないでしょうから、元からいるドイツ人だけでみると支持率はもっと高いはずです。

川口：なお、国内では魔女狩りの対象にされているＡｆＤですが、実は来年六月の欧州議会の選挙で、大きく伸びる可能性があります。ＥＵではＡｆＤ程度の右派の政党は珍しくなく、最近は、ハンガリーやイタリアだけでなく、スウェーデン、オーストリア、フィンランド、ギリシャなどにも次々と右派の政権が成立しています。ＥＵ議会には、ＩＤ（アイデンティティーと民主主義）という右派の会派が存在し、ドイツのＡｆＤも、フランスの国民連合や、イタリアのＬｅｇａ（レーガ）、オーストリアのＦＰÖなどとともに、この会派に属しています。当初は、ＥＵに非常に懐疑的であったＡｆＤですが、現在はＥＵの改革をモットーに掲げ、来年は少なくとも三五人の候補者を立てる予定です。

「極左」ヴァーゲンクネヒトの正論

福井：元左派党のザーラ・ヴァーゲンクネヒト議員についての評価はいかがですか？　面白

いのは「極右」とされているＡｆＤと主張が重なっているることです。実は、左派党とＡｆＤはともに、硬直化し民意とかけはなれた政策を続けるＣＤＵ、社民党そして緑の党といった体制政党に異議申し立てを行う反体制政党ととらえることができるのではないでしょうか。

ザーラ・ヴァーゲンクネヒト

川口：ヴァーゲンクネヒトは、ついに二〇二三年一〇月二三日、左派党を脱退し、自分の政治グループを立ち上げました。これはまだ政党ではありませんが、ようやく結党を、二〇二四年の旧東ドイツの三州の州議会選挙に間に合わせるための準備が整ったようです。彼女に関しては、私は非常に興味があり、ずっとフォローしておりました。知的で、美人で、左派・右派を問わず人気があり、しかも、討論になると超攻撃的で絶対に負けないので、トークショーでは引っ張りだこ。彼女が二〇二三年のはじめにウクライナへの武器供与に反対して抗議運動を起こしたときには、二週間で署名が六八万も集まり、その後、開かれたベルリンでの抗議集会は、雪が散らつくなか、大変な盛会となりました。一種のカリスマ的存在ではないでしょうか。彼女の古巣であった左派党は見捨てられた感じで、崩壊する可能性が高まっています。左派党の源流は東ドイツの独裁政党SEDですから、何となく、「盛者必衰の理をあらはす」といった感じがします。

福井：「左翼保守」（Linkskonservativ）を自認する彼女の新党が軌道に乗れば、AfDと票の取り合いになるでしょう。いっそのこと彼女をAfDの党首にすればいい。

川口：（笑）。そうなってもおかしくないくらい、ちょっと見ると、ヴァーゲンクネヒトとAfDの主張は重なっていますね。だから、メディアはそれを根拠に彼女を叩いています。今や、主張が正しいかどうかではなく、AfDと同じことを言っているかどうかで、叩いたり、褒めたりするのですから、はっきり言って、メディアの自滅です。

ヴァーゲンクネヒトが何を言っているかというと、まずは、ウクライナへの武器供与に反対。「ウクライナがいくら西側から武器を与えられても、ロシアという核保有大国に勝利できるはずはなく、終戦は交渉でしかありえない。武器の供与はただちに中止し、今すぐ交渉に舵を切り、無駄な殺戮を一刻も早く止めるべきだ」。また、「ロシアに対する経済制裁は愚の骨頂であり、ドイツ国民を苦しめ、ドイツ産業を破壊するだけなので、すぐに止めるべきだ」というようなものです。

ところが、この主張とAfDのそれが綺麗に重なるため、メディアや政治家や知識人といわれる人たちが、「ヴァーゲンクネヒトはAfDと距離を置いていない」とか、「極右と極左が手を結んだ」などと、大騒ぎです。

たとえばプロテスタント（正確にはドイツ福音主義教会）の元議長、マルゴート・ケースマンは、最初はヴァーゲンクネヒトの主張に賛同して、「武器供与反対」に署名をした六九人の有名人のうちの一人だったのに、その後で、「AfDが同じ主張をしてきたことは非常に不愉快だ」と言い始め、抗議集会での登壇を断ってきたといいます。プロテスタントの最高権力者がこれですから、ドイツ人の知的レベルが危ぶまれます。

そんなわけで、ヴァーゲンクネヒトの抗議集会は企画段階で非難され、極右がなだれ込んで暴力沙汰をするだろうなどと言われたりしたのですが、実際に集まった人たちは、極右でも極左でもない普通の市民で、そのうえ、AfDの支持者もヴァーゲンクネヒトの支持者も、停戦を求めるという共通の目標の下に団結し、いかにも真面目で平和的な雰囲気だったので、糾弾側は恥をかきました。

ヴァーゲンクネヒト曰く、「平和を呼びかける運動が、いったいいつから右（として批判されるように）になり、戦争に酔いしれることが、いつから左になったのだ」、「ドイツで行われている（AfDと同じだからダメという）レベルの低い議論には、もううんざりだ」。

その通りだと思います。ただ、付け加えると、ヴァーゲンクネヒトとＡｆＤは、経済政策などではかなり袂を分かちます。ヴァーゲンクネヒトは、やはり旧東独のＳＥＤの影を引きずっていて、金持ちから貧乏人にお金を回せという共産党の教義から抜け出せない。この人に任せたら、皆が貧乏になるのではないかという懸念はありますね。その点、ＡｆＤの方が、元は経済学者がつくった党ですから、もっと自由度の高い、かなり具体的な経済政策を打ち出しています。すべてが実行可能かどうかは別の話ですが。

福井：ＡｆＤの主張が徐々に政界や言論界で真面目に取り上げられるようになっていくのか、逆に言論弾圧がさらに加速し、旧共産圏のような全体主義に突入するのかの岐路に立っているのでしょうね。アメリカがそうでしょう。トランプが出てきたため、リベラル主流派による言論弾圧がさらに激しくなった。ただ、さすがに酷すぎるということで、リベラルのなかからリベラル主流派の明らかなウソに基づく異常なトランプ叩きを批判する声も出てきています。たとえば、米政府の違法な国民監視を追及してきたグレン・グリーンウォルドがそうです。彼はヴァーゲンクネヒトを自身が主催するネットの番組にゲストとして招き、右派が支持する左翼として好意的に取り上げていました。

また、主流派メディアが腐敗したバイデン一家を批判せず、明白な事実さえ報道しないこ

花火を鑑賞するバイデン一家。2023年、米独立記念日 ワシントンDCでの花火大会 ©AP/アフロ

とに関しても、グリーンウォルドら首尾一貫したリベラルは厳しく批判しています。

川口：バイデン一家の腐敗に関してはネットであれだけ出回っているのに、報じないのはおかしいですよ。中国やウクライナはもちろんのこと、アルバニアからもお金もらっているとか。あんな貧しい国からお金を巻き上げられるということは、ある意味、アルバニアの腐敗もすごいのでしょうけど。

福井：バイデン一家の問題を共和党保守派議員が指摘しても、鼻で笑われて終わり。ただし、さすがにまずいということなのか、主流派メディアは息子のハンター・バイデンに関しては、ウクライナとの関係など父バイデン大統領に致命的打撃を与えかねない問題には切り込まず、ハンターの個人的問題には触れるようになってきました。

ＥＵ人＝グローバルエリートと国民の乖離

福井：欧米のエリートはまさにグローバルなエリートどうしの連帯感はあっても自国の庶民との国民としての一体感はないも同然です（Goodhart, *The road to somewhere*）。ＥＵの場合も、国単位ではなくヨーロッパ、さらには世界単位で聡明なエリートが連携し、政策を進めていくという構図です。

川口：グローバリストということですよね。メルケルはそれを進めていく構図のなかで、重要な役割を果たしていたと思います。ＥＵをそのための有用な道具に改造していく道筋をつけたのが、メルケル首相だったのではないでしょうか。

福井：ＥＵの前身であるＥＥＣの当初の目的は、関税同盟として域内の貿易を推進するとともに経済政策での協調を進めることで、一つの経済圏を確立することにあり、各国が政治的に独立した国民国家共存体制が前提となっていました。ところが現在のＥＵは政治的統一を目指し、当初とは目指すものが大きく変わってしまいました。それでイギリスは「話が違う」と出て行った。

川口：EUでは、財政は各国がそれぞれにやっているのに、金融政策を欧州中央銀行が一括にやっていますから、特に、ユーロを使っている経済の弱い国は景気対策さえ打てない。はっきりいって経済を活性するチャンスがないのです。だったら、財政も一括にやれば辻褄は合うのでしょうけど。そうなると、ユーロ圏は一つの国のようになり、ドイツやオランダといった豊かな国が、経済が崩壊しかかっているような国を、自分の国のように支えなければならなくなる。これは日本に置き換えるとよくわかるのですが、東京や愛知が、高知や鳥取といった税収の少ない地方を支え、同じ教育、同じ年金を保証するのは、同じ日本人だから誰も文句は言いませんが、もし、日本人のお金を、当然のようにアジア人皆で使うとなるとどうなるかということです。おそらく皆、抵抗するでしょう。しかし、メルケルは、将来そうなることを理想だと思っていたようです。

経済不振で困っているフランスやイタリアも、ドイツのお金に目をつけて、これを前々から求めていましたが、そう簡単に裕福な国が首を縦に振るわけがない。ところが、それを「EUの連帯」という理由でうまく前進させたのが、メルケルです。まず最初にギリシャの金融危機のとき、そして、二度目はコロナのときでした。ものすごく大きな巌（いわお）を動かしたのです。

福井：現在のEUを支える、今のかたちでの独仏協調には無理があります。というのも政治的主導権を握るのは、戦争には負けたのに戦勝国となって、戦後「欧州の覇者」となったフランスですが、経済的には、焦土から驚異的な復興を遂げたドイツがフランスを圧倒しています。経済的に弱体なフランスにとっては都合がいい状況ですが、第二次大戦の戦勝国と戦敗国の枠組みを半永久的に押し付けられるという理不尽な立場にドイツ人がいつまで耐えられるのでしょうか。

川口：ですからドイツ国内では、他のEU諸国のためにお金を出すことを、「貧乏で金遣いが荒い親戚にクレジットカードを渡すようなバカげたこと」と非難が大きかった。

福井：本当は事実上のスポンサーであるドイツが主導権を握るべきでしょう。サルコジがフランス大統領のときがそのチャンスでした。あの人はユダヤ系であるのみならず伝統的にドイツに近いハンガリー系であり、歴代大統領と違いフランスの栄光にこだわることなく、独仏の国力を冷静にとらえ、ドイツとの本当の意味での協調を目指していた。しかし、国民の間で人気はなく、再選できなかった。やはりフランス人はEUの主導権を渡したくないのでしょう。

川口：サルコジはメルケルの言いなりだとして、「メルコジ」と言われていました。確かに彼には、フランス人のあの異常なプライドの高さみたいなのはなかったですね。私はこのままではEU自体が崩壊するのではないかとみています。ただ、ユーロという通貨を使っている限り、皆、逃げ出したくても足抜けができない。イギリスがEUから脱退できたのは、通貨をユーロにしていなかったからです。

福井：イギリスは保険をかけていたということでしょう。スウェーデン、デンマークと東欧諸国もユーロは採用していないので、脱退することはそれほど困難ではありません。永世中立国スイスと産油国ノルウェーに至ってはEUにも加盟していません。

ただ理論上はユーロを使っている国も一瞬で同じレートで新通貨にすればできないことはありません。最近の例でいうとソ連が崩壊したときに、ロシア以外の各国は新たに自国通貨を導入しました。

サルコジとメルケル ©AP/アフロ

川口：でも、ロシアの経済の混乱はすごかった。だから、隠密裏に行わなければならないのではないですか。そうでないと、事前に感づいた人たちが動いた時点でバレてしまい、どっちにしても混乱する。戦後にライヒスマルクをドイツマルクに切り替えたときは、関係者を何日も密室に監禁した状態で準備したので可能でした。それにマルクはドイツのみの通貨でしたから。でも、秒でお金を動かせる今、そんなことが可能なのか……。

福井：不可能ではないと思いますが、いきなり大国がやるのは難しいでしょうね。とはいえ、現在のユーロ圏は、経済学でいう最適通貨圏とは言い難く、慢性的失業に苦しむイタリアやスペインなどは、自国通貨導入によって、実質的に為替切り下げを行い、経済活性化を行うメリットは大きいと思います。

川口：私ももちろんそう思います。ポーランドが発展したのはズウォティが安いからだし、ギリシャだって、昔のままドラクマを使っていれば、観光客をクロアチアやトルコに取られることはなかった。地中海の美しさは同じなのですから。ドラクマなら、もちろん、あの無茶な借金もできなかったでしょう。ユーロは失敗です。

先に言った通り、AfDは、二〇一三年に、EUの金融政策に反対する経済学者たちがつくった党だった。ここにおいても、かなり先見の明のある党だったと、私は思っています。

福井：ユーロ導入による通貨統合は、経済合理性に基づくものではなく、欧州は統一されるべきという「理念」先行の政治的産物でした。二〇一二年三月に当時日銀副総裁だった西村清彦東大名誉教授は、「ユーロ圏危機から何を学ぶべきか？」と題されたアメリカでの講演で、ユーロは最適通貨圏の前提条件を満たさず導入された「壮大な実験」（grand experiment）であり、期待された経済条件の収斂は進まず、為替レート調整ができないなか、不均衡が蓄積され、債務危機へとつながっていったと明言しています。同意なしで実験材料にされたユーロ圏の国民、特に大きな負担を強いられたドイツ国民はたまったもんじゃない。

一般国民の利益を蔑ろにする独善的エリートに対し、「王様は裸だ」と叫んでいるのがAfDということかもしれません。

リベラル・デモクラシーはなぜ共産主義に似るのか

川口：旧東ドイツの地域でAfDやヴァーゲンクネヒト・グループが伸びるのは、有権者が敏感だからです。主要メディアは西側が支配していて、旧東ドイツの人々はいまだに民主主義が未発達などとバカにしていますが、これはまったく正しくない。旧東ドイツの人たちは、四〇年近い共産党支配の経験により、メディアや政府の言っていることをおいそれとは信じない。最近の政府は、自由を抑圧する方向に動いていて、メディアが政府を監督する役目を忘れて、あたかも太鼓持ち(たいこも)のようになっていますが、いち早くそれを感じ取ったのが旧東ドイツの人たちでした。そして、本当に自分たちの利益を代表してくれるのは、AfDやヴァーゲンクネヒトだと見ているのです。

同様に、東ヨーロッパの国々も、戦後、厳しいソ連の支配下におかれ、その恐ろしさが骨身に染みています。そのような歴史があるからこそ、全体主義の萌芽に敏感であり、西側のいう「民主主義」を大いなる疑いの目で見ていると思います。

福井：同感です。共産主義体制下ポーランドの反体制知識人、哲学者にして現欧州議会議員のリシャルト・レグトコは、「自由な社会における全体主義の誘惑」という副題をもつ『デモクラシーにおける悪魔』（原文ポーランド語、英・独訳あり）で、川口さんと同じようなことを書いています。

レグトコの主張を一言で表現すれば、自ら経験した共産主義と今日の欧米「リベラル・デモクラシー」の類似性、共通性です。ただし、彼のいう「リベラル」は今日的用法におけるそれで、かつての自由主義、今では古典的リベラルと呼ばれる立場からはかけ離れたものです。

レグトコは、ポーランドで共産主義体制が倒れた後、新しい正統となった西側「リベラル・デモクラシー」に真っ先に適応したのは、かつての共産主義者だったと言います。彼らは単に事大主義者、オポチュニストというだけではありません。過去を敵視し、社会を自らが理想とする姿につくり替える近代化プロジェクトの推進者として、共産主義と「リベラル・デモクラシー」は思想的に同根です。ともに進歩を金科玉条とする啓蒙思想の申し子なのです。そして、ともに〝記憶〟を敵視します。新しい人間をつくるには過去の記憶は邪魔ですから。

共産主義も「リベラル・デモクラシー」も、正統イデオロギーからの逸脱を認めません。共産主義の場合は一気に革命的に、「リベラル・デモクラシー」の場合は徐々に進化的に、過去から継続するヒエラルキー、慣習、伝統を払拭し清算することを人々に強います。特に敵視されるのが、宗教、ネーション、古典的形而上学、道徳的保守主義、そして家族です。

そして、社会の純化を進めるうえで、両体制とも重要な役割を果たすのが知識人です。それも強制されてではなく、喜んで行うのです。その際、切り札となる「共産主義」あるいは「デモクラシー」という言葉を使うことで、自らとは異なる考え方をすべて否定するのです。欧米では「リベラル・デモクラシー」化が進むにつれ、社会的に許される意見の範囲が狭まっています。主流派とみなされている政治勢力を見ると、左派はますます左にシフトする一方、右派の左傾化も甚だしい。

こうした新たな全体主義に対してどうすればよいのか。レグトコの次の指摘がヒントになるのではないでしょうか。今は無視されているけれども、共産主義体制が除去しようしてできなかったもの、そして反体制運動を支えたもの、それは「愛国心、呼び覚まされた真実と正義を求める永遠の願い、ネーションの伝統への忠誠、そして何より宗教であったのだ」と。

東欧を襲うグローバリズム

川口：ただ、ナショナリズムが強いポーランドでさえも、若いエリートたちを見ていると、やはりグローバリズムで親EUの人たちが多いように思えます。私が若かった頃、古いものを否定して、ヒッピー文化や、反政府運動が栄えたのと同じような傾向です。これは、民主主義を標榜する国が発展していく過程で、一度は通らなければならない道として、仕方がないのかなあと思ったりもします。

二〇二一年にポーランド大学の日本語学科で講演をしました。コロナ下だったのでオンラインだったのですが、話す内容を間違えました。というのも、私は、ドイツからずっと見ていたEUの矛盾をテーマにしたのです。現在、EUに入っているさまざまな亀裂。南北の経済格差や、東西のイデオロギーの対立、難民政策での不調和、金融政策の矛盾、連帯と言いながら、皆が結局、自国ファーストで動いている欺瞞の様子など、まあ、EUに懐疑的な話です。私は、EUは経済や学術研究で協力すべきで、各国の主権にまで手を突っ込むのは間違っていると思っています。だから、その点、ポーランドのように主権をEUに明け渡す気など絶対になく、伝統やナショナリズムでまとまっている国はすばらしいというようなことを話しましたが、よく考えてみたら、ポーランド大学のエリートたちが、マテウシュ・モラヴィエツキ首相や、ましてやヤロスワフ・カチンスキを素晴らしいと思っているかどうかは大いに疑問で、どちらかというと、EU絶対派、ドナルド・トゥスク派でしょう。対面で講演していたら、ブーイングされたかもしれません（笑）。

福井：とはいえ、共産主義時代を知っている人が社会の中核を担っているうちは安心なんです。酷い体制を身に染みて知っているから。でも、それももう三〇年以上前の話。私ぐらいの世代の人、一九六〇年代に生まれ、共産主義体制下で学生時代を送った世代までは大丈夫でしょう。ただ川口さんがおっしゃるように共産主義体制を知らないこれからの若い人たちはどうなるかわかりません。

川口：チェコは二〇二一年に「チェコのトランプ」と呼ばれていた首相が政権交代して親E

U派の首相に代わりました。同じことがポーランドで起きないとも限らない。ハンガリーにしてもオルバンが首相のうちはいいとしても、退陣したらどうなるか。西側のEU国と同じようになる可能性もあります。世界を、各国がゆるく結束している神聖ローマ帝国ではなく、すべての民族が一緒くたになったノーネーション、ノーボーダーの無国籍地域にしようとする力が働いているような気がしてなりません。

福井：結局、多民族国家というのは、スイスのように徹底的に分権化しない限り、強権的な支配の下でしか存続できないわけです。深刻な対立を伴わず多数決で決めることができるのは、極論すればどうでもいいことだけです。多民族国家だったオーストリア＝ハンガリー帝国出身の経済学者ヨーゼフ・シュンペーター（『資本主義・社会主義・民主主義』）や法学者ハンス・ケルゼン（『民主主義の本質と価値』）が指摘しているように、本当のリベラル・デモクラシーは、根幹において考え方が一致している集団、つまり国民国家でしか機能しないのです。

オルバン・ビクトル

川口：そもそもEUでは、多数決でやっていったら、そのうちイスラムのほうが多くなってしまう可能性があります。

福井：いずれイスラムが政治の主導権を握ることになるでしょう。

川口：そしたらミッシェル・ウェルベックの『服従』（河出書房新社）と一緒になっちゃう。あの小説では、イスラム移民があれよあれよという間に、フランスの大統領になってしまう。

福井：でも、自由な選挙を続ける限り必ずそうなります。ヨーロッパでは大都市を中心に、事実上移民に支配された地域が存在し、警察も介入できません。ドイツのベルリンにも一部そういう地域ができてきました。フランスはもっと酷くて南部のマルセイユはまるで中東の都市のようになっている。

川口：東ヨーロッパは、今、移民を絶対に入れない政策を固持していますが、それを果たしてどこまで継続できるかですよね。

福井：できなければ、単に三〇年遅れでドイツのような国々が続出するのでしょう。

川口：私はその可能性が高いと見ています。

福井：西ヨーロッパだけでなく、東ヨーロッパからも今はまだ残る「ヨーロッパ」が失われたら、クラシック音楽や絵画などの西洋文化が残るのは日本だけになるかもしれません……。中国唐代の音楽が本国では消滅し、日本で雅楽として千年後も残っているのと同様に。

第5章 ドイツを蝕む巨大環境NGOと国際会議

シャルル・ド・ゴール
1943年チュニジア

グリーンピースのデモ活動

国際環境NGOと癒着するドイツ政府

川口：緑の党のロベルト・ハーベックが大臣の経済・気候保護省では、二〇二三年四月になって、NGOとの異常な癒着(ゆちゃく)や、関係機関での大掛かりな縁故採用がスキャンダルとして報じられました。主要メディアはあたかも今、初めて明るみに出たかのように報道しましたが、もちろん、彼らは前々からすべて知っていた。私だって知っていたのですから当然です。

「過小評価されるグリーン・ロビーの権力」という長大な論考が独大手紙『ディ・ヴェルト』のオンライン版に載ったのは二〇二一年四月三〇日でした。綿密な取材の跡が感じられる素晴らしい論文で、読んだとき、私は久しぶりにジャーナリズムの底力を感じたものです。

巨悪に立ち向かう弱小な組織といったイメージの環境NGO(非政府組織)が、実は世界的ネットワークを持ち、政治の中枢に浸透し、強大な権力と潤沢な資金で政治を動かしている実態、多くの公金がNGOに注ぎ込まれている現状、そして、批判精神を捨て、政府とNGOを力強く後押しするメディアの癒着を暴いているのですが、これらの内容に私の見解を加えて十二人での共著『SDGsの不都合な真実』(宝島社)に寄稿しました。あまり日本で知られていない内容ですので、再度紹介させてください。

この論文によると、環境NGOは地味な草の根運動を装っていますが、エネルギー政策、および地球温暖化防止政策に与える影響力という意味では、今や産業ロビーを遥かに凌いでいるといいます。脱原発や、脱炭素にも、もちろんNGOが絡んでいます。

そこでまず脱原発について私が異常だと思ったのは、二〇一一年の福島第一原発の事故の後にドイツ政府は倫理委員会を招集したのですが、そのメンバーに電力会社の代表や研究者がほとんどおらず、聖職者や社会学者が加わっていたことです。つまり、科学的視点を欠いた人たちが二〇二二年の脱原発を決めたのです。しかも音頭を取ったのが、長年、国連環境計画の事務局長を務めていた環境問題の大御所、クラウス・テプファーでしたから、結果ありきの脱原発でした。もちろん、テプファーを引っ張ってきたのはメルケル首相です。

また、その七年後の二〇一八年に、脱石炭について審議するために招集された「成長・構造改革・雇用委員会」（通称・石炭委員会）では、聖職者はいなくなっていましたが、今度は環境NGOがたくさん座っていた。おかしいでしょう、彼らが大事な政策決定に口を出せるなんて！　しかも、脱石炭を審議する会議なのに、石炭輸入組合の代表は傍聴することさえ叶わなかったのです。

ドイツは伝統的に石炭をベースに発展してきた国で、発電は今も四割を石炭と褐炭に頼っているのに、長年続いたこの産業構造を、突然トップダウンで終了させるのは、ものすごく無謀な話です。性急な脱石炭は、企業の株主の権利を侵害するし、また、何万もの炭鉱や関連業種の労働者から生活の糧をも奪うことになります。

そこで石炭委員会は各方面への補償と、影響を受ける州の産業構造改革のため、二〇三八年までに少なくとも四〇〇億ユーロを投下するとしました。大盤振る舞いはいいとして、財源はどうするのか。代替産業もわからぬまま山積する問題をほっぽり出して〝遅くとも〟二〇三八年の脱石炭というスケジュールだけが決まっているのが、現在のドイツです。

しかし、それに反対したのが緑の党で、なぜ、反対かというと、二〇三八年では遅すぎるので、スケジュールをもっと早めろと異議を唱えたのです。そして、それを後押ししているのが自然・環境NGOです。これらのNGOはドイツ全土にあり、登録されている一一〇〇万人の会員が、今やドイツの世論形成を牛耳る一大勢力となっています。

実際、緑の党はNGOを味方につけ、脱炭素の大波に乗って二〇二一年一二月に政権入りを果たしました。

福井：少なくともドイツの場合、環境保護というのはもともと左翼の専売特許というわけではなく、一九世紀のドイツ・ロマン主義あるいはもっと先まで遡れる、保守的な人にも訴求力のあるテーマです。したがって、緑の党を支えるドイツの環境保護運動は、日本のような上っ面なものではなく、ドイツ社会に根を下ろしているように思えます。

二つの巨大NGOの実態

川口：もちろんその通りで、自然を大切にするのはいいのですが、今や、彼らのやろうとしていることが環境保護に役立っているかというと、実際には矛盾が多すぎます。草の根として頑張っている人たちは、正しい情報を得ていないのではないかと思います。そして、その矛盾の根源が、政治とNGOの堅固なタッグです。すでにNGOは政府の専門委員会に加わっていることは、先ほど申しました。彼らは、政治家の外遊にもしばしば同行し、国際会議ではオブザーバーとして常連席を持っていたりと、権限が膨張しています。たとえば、現開発相のスヴェニャ・シュルツェは、環境相だった二〇一九年、マドリッドでの国連気候行動サミットに出席中に、「NGOの人たちとの会話は私にとって非常に重要だ。我々は同じ問題のために戦っている」とツイートしています。

また二月には毎年恒例の「ミュンヘン安全保障会議」が開かれていますが、ダボス会議同様、民間主催のこういった国際会議のほうが、公式の国際会議である国連などよりも実力を強めているように感じます。

ここでは産業界の有力者や、NGOを支援する大資本家などが集って、都合の悪い国家の首脳は呼びません。民主主義を強調しながら、戦争も政治も「民営化」だといわんばかりに、仲間内で世界政治を決めていく。そもそも選挙で選ばれたわけでもない人間が税金で行動し、国政や法案の策定にまで口を挟むこと自体がおかしいと、私は思っています。ところが、ドイツでは事もあろうに、国、州政府、そしてEUも、各種NGOにかなりの財政支援を行っているのです。

ベルリンに本部を持つBUNDは会員五八万人ですが、彼らが二〇一四年から二〇一九年の六年間に公金から受けた補助の総額は、二一〇〇万ユーロにのぼるといいます。また、会員数六二万人とドイツ最大のNGOであるNABUが、同じ期間に八つの公的機関から受けた補助は五二五〇万ユーロです。

NABUは動植物の保護を活動の主体とし、近年は風車に巻き込まれて死ぬ野鳥の被害を訴えています。NABUの受けた補助金の内訳は、最高額三六〇〇万ユーロが環境省、その他、経済協力開発省、労働社会省、教育研究省、外務省からも出ている。また、それに続く二〇二〇年から二〇二三年までの四年分の補助金としては、すでに四七〇〇万ユーロという破格の予算が組まれています。

ただ、前述の論文の著者らによれば、ＮＧＯの決算報告には、「申告と実態との間に明らかな欠落部分がある」。二〇一六年、欧州議会の予算委員会が、ＥＵが援助しているＮＧＯの財務監査を専門家グループに依頼したのだけれど、ＮＧＯは複雑に絡み合い、さらに、資金は環境や自然保護だけでなく、教会の慈善事業や中国との共同プロジェクトなど広範に拡散されており、結局、どのＮＧＯが、どこで、どの活動に従事し、互いにどういう関係にあるかがつかめず、調査は徒労に終わったといいます。この事実をどう解釈すべきかは正直言ってわかりません。ただ、額面通り受け取ることもできない……。

ＮＧＯが行っている疑問符のつく資金調達方法は他にもあります。ドイツには、国民の代表として企業や自治体を訴える権限を持つＮＧＯが七八組織あるのですが、前述のＮＡＢＵとＢＵＮＤもその権限を利用して資金調達をしている。

その一つは、風車による野鳥の被害を理由にウィンドパーク（風力発電所）の事業者を相手取って訴訟を起こす方法。ただし、被告が原告の指定する機関に指定した金額を寄付すれば訴訟は取り下げるというのですから、これって、免罪符でしょう。しかも、寄付した後には、「鳥に優しいウィンドパーク」というお墨付きが与えられるというのですから、ますます免罪符に近い（笑）。

もっとも、このやり方は、風力発電の拡大を唱えているNABUの方針に抵触します。実際に、鳥の保護と風力発電の拡大は両立できないとNABU内部でも問題となっているらしく、風車の建設規制を訴えるNGOに移る会員も出てきたそうです。

実は、シュルツェ前環境相もNABUのメンバーだそうです。つまり、日頃からNGOを称賛し、鳥の保護を訴えつつ、一方では、脱炭素達成のために風車の建設も推進していて風力発電事業者との距離も近い。結局、どちらからも重宝されていたのでしょう。これではNGO幹部に対する不信は募る一方です。

福井：川口さんがおっしゃるように、NGOが表向き主導する環境政策は一般の国民の利益に反するという意味で反民主的性格が顕著です。ここで「表向き」と言ったのは、力のあるNGOは決して反体制ではなく、アメリカの大企業ではNGOの幹部が社外取締役にもなっているなど、政財界のエスタブリッシュメントともつながっており、その代弁者という側面もあるからです。

二〇一五年八月一九日、リベラル色の特に強い英紙『ガーディアン』は、環境NGOの大口スポンサーの一人で、脱石炭の立場を明らかにしているジョージ・ソロスが、実は自ら運営するヘッジファンドを通じて炭鉱会社に投資していることを伝えました。米経済誌『フォーブス』には、ソロスはなんら方針転換したわけではなく、金儲けに忠実なだけで、政府を脱石炭政策に誘導して炭鉱会社の株価を下げ、底値で買ったのだという論評記事が掲載されました（二〇一五年八月二八日）。

川口：そういう話を聞くと、ますます環境エリート集団と一般国民の距離を感じます。NGOというのは、「高学歴エリートから構成される総会屋」と言ったら、怒られるでしょうか。

欺瞞だらけのエネルギー転換政策を推進する論文

川口：『ディ・ヴェルト』紙の論考のなかで、何といっても興味深かったのは、この壮大なエネルギー転換政策がいったいどのように始まったか、という点を掘り下げているところです。二〇〇七年、ヒューレット財団が依頼した「勝利のためのデザイン　地球温暖化との戦いにおける慈善事業の役割」（*Design To Win-Philantropy's Role in the Fight Against Global Warming*）という研究レポートから始まっているようです。ヒューレット財団というのは、ヒューレット・パッカード社の創立者の一人ウィリアム・ヒューレットと夫人が一九六六年につくった慈善財団ですが、財団のお金をいかに活用すれば、一番効果的に温暖化防止政策を構築し、遂行できるかということが研究目的でした。

福井：アメリカのいくつかの有力財団がスポンサーとなった研究レポートですね。スポンサーは他にパッカード財団、エネルギー財団、ドリス・デューク財団、ジョイス財団、オーク財団。

川口：そうです。レポートには、年間六億ドルを投資すれば、二〇三〇年までに全世界で一一〇億トンのCO2を削減でき、地球の温度の上昇を二度以下に抑えられるということが明記されています。さらに、温暖化対策をいかに国民の間に社会問題として定着させることができるか。あるいは、アメリカ、EU、中国、インドなど、地域に特化した対策のかたちはどうあるべきかなどが提示されました。このレポートが世界のマスタープランとなったことは間違いありません。

翌二〇〇八年、ヨーロッパでこれらのプランを実行に移すため、オランダのハーグに「欧州気候基金」が設立されました。出資者は、ヒューレットとパッカード両財団、ブルームバーグ、ロックフェラー、イケア財団、ドイツのメルカトル財団などです。

支部は間もなくベルリン、ブリュッセル、ロンドン、パリ、ワルシャワへと拡大し、頂点にはそれぞれ、ヨーロッパの選り抜きのトップマネージャーや元政治家が、莫大な報酬で引き抜かれて就任しています。現在、ヨーロッパで脱炭素やエネルギー転換を謳うNGOのほとんどは、この欧州気候基金か、もう一つの巨大財団であるメルカトル財団のどちらかから、あるいは、その両方から援助を受けています。

ただ、ヨーロッパでの気候政策に本当の弾みがついたのは、福島第一原発の事故の後でした。「ようやく機は熟した！　脱炭素の青写真を世界中に広めるのは今だ！」とばかりに、政界、産業界が立ち上がり、財界への浸透、新しいテクノロジーとアイデアの実践に突き進みました。成功は、強力な資金を持つ自分たちの手の内にあると、彼ら、自称「Change Agents」（変革の推進者）は確信したのでしょう。

実際、変革はその設計図通りに進んでいます。二〇一九年の一年間で、欧州気候基金とメルカトル財団が、脱炭素につながる活動をしているNGOやシンクタンクに拠出した補助金は四二二〇万ユーロにのぼる。ちなみに、メルカトル財団の資本金は、二〇一九年の決算報告によれば、一億一六五〇万ユーロ。こうなると皆が、脱炭素の旗を掲げて群がってくるわけです。

一方、この輪の中に入らず、中立な立場を維持したい研究所は、当然のことながら苦戦を強いられてしまう。たとえばドイツでは、RWIのライプニッツ経済研究所は、エネルギー転換政策は、貧困層から富裕層への所得移転になると警告しました。

また、連邦議会の専門委員会の調査でも、マックスプランク研究所の下で六つの独立した研究所が行った研究でも、再エネ法の矛盾が指摘され、その改正、あるいは廃止が進言されたのですが、政府はそれらを悉く無視しました。

ゲッティンゲン大学のメディア研究者などは、温暖化に関するほとんどの報道は、科学的に曖昧な部分が明確に示されていないと指摘していましたが、それも無視です。そして、問題は、政府の方針と異なる結果を出す研究には発注がこなくなること。こうして異端の意見は淘汰されていくのです。

また、送電ネットワークの運営者は、今でも口を揃えて、脱原発と脱石炭を同時に行うと電力供給が保障されないと警告していますが、それについて真面目な議論さえ行われていません。それどころか、シュルツェは小型の新世代型の原発などは「御伽噺（おとぎばなし）」だと切り捨てたのです。「科学よりもイデオロギー」というのが、ドイツの政治家の特徴ですね。

福井：もともと、ドイツ政府機関である「連邦地学資源研究所（BGR）」は、二〇〇一年に初版が出た『気候の事実』（*Klimafakten*）で、二酸化炭素を主原因とする地球温暖化説に対する懐疑的見解を、まさに事実に基づいて示していました。私の手元には二〇〇四年に出た第四版がありますが、カラーの図表を使い非専門家にもわかりやすいかたちで、科学的知見をまとめています。

川口：それどころか、二〇二二年にノーベル物理学賞をとったクラウザーは、「地球は危機に瀕してはいない。気候緊急事態などない」と断言しています。

グリーンピースの「女帝」が外務省入り

川口：NGOと現政権の癒着の象徴的な例は、グリーンピース・インターナショナルの事務局長で「女帝」であるジェニファー・モーガンの、ドイツの外務省入りといってもよいのではないでしょうか。アンナレーナ・ベアボック外相は、バイデン政権がジョン・ケリーを、気候変動問題を担当する大統領特使にした例を見習ったのかもしれない。モーガンはアメリカ人で、自身もケリーを手本としていると語っています。二〇二三年三月、彼女の外務次官就任が決まったのですが、その発表記者会見で、ベアボック外相は、大物を引っ張ってきたことで、まさ

ジェニファー・モーガン

に得意満面でした。ただ、外務次官は国家公務員なのでドイツ国籍が必要です。そこで、ドイツ国籍を取るまでの繋ぎとして、国際環境政策特使という肩書が与えられました。その後、超特急で国籍が付与され、今では両方の任務を兼任しているようです。

モーガンは数年前からベルリンにも拠点を置いており、持続可能な開発に関するドイツ協議会の委員や、気候影響研究のためのポツダム研究所の科学諮問委員会のメンバーを務めるなど、すでにドイツの環境筋とは深いつながりがあったようです。環境派のネットワークの広範さが表れています。

特にグリーンピースは、環境NGOのなかでも最も巨大なものの一つでしょう。寄付を支

払っている「サポーター」は世界全体で二九〇万人と言われ、ドイツだけでも五九万人も会員がいます。

実は私も一〇年ほど前ですが行きつけのスーパーのまえで勧誘されたことがあり、断れなくなり、半年ほど会員になっていたことがあります。それくらい勧誘は熱心です。毎月会報が送られてくるのですが、これが結構面白かった（笑）。彼らが潤沢な資金を持っていることも想像できました。

ただ、実際のグリーンピースの活動は、末端会員による勧誘などとは打って変わって、グレーゾーンの領域を飛び越えるほど過激です。

ヨーロッパでの活動も、非合法のものが数多くあって、そのため二〇一六年、ドイツの連邦環境局は、ドイツ・グリーンピースから国民の代表として訴訟を起こす権利を剥奪しました。

CDUのトーステン・フライが、「グリーンピースがどのような活動をしていたかを考えれば、そのやり方を国政に活用することが本当に我が国のためになるのかどうか、私は大きな疑いを持つ」と強い懸念を示しましたが、当然のことでしょう。「ロビイストが事務次官になるなどもってのほか」「国政の決定権が、省や議会という民主的で合法な機関から、NGOの手に移ってしまう」と、AfDも言っています。

現にモーガンは「活動家としての仕事と政治を明確に分けるつもりはない」とし、「政治は重要だが、活動家と科学者なしでは何もできない」と公言してはばかりません。

また、彼女は「気候変動に関する政府間パネル（IPCC）」の第五次評価報告書の査読編集者を務めており、CO2削減に熱心な世界中の大物政治家との太いパイプもある。つまり、言い換えれば、自分の思い通りに動かすことのできる「活動家」と「科学者」を十分に持っているのでしょう。これらは緑の党にとって、非常に魅力的なパイプであることは間違いありません。

一方、矛盾するようですが、緑の党が現在一番恐れているのも、実はNGOなのです。

これまで緑の党は、《Fridays for Future》のような若者の団体から、過激で危険な左翼思想を持つ環境団体まで、さまざまな組織と活動を共にしてきました。これらNGOの支持を得て、与党に入ることができたと言っても過言ではありません。ところが、そのような政党が与党に入ると、ご多分にもれず、これまで主張していた無理無体を引っ込めなければならないという現実があります。そのため、各種NGOからの突き上げを恐れているわけです。

たとえば今の緑の党は、これまで大反対していたガスパイプラインに反対することもできなければ、公約に入れていたアウトバーンの全国一律制限速度一三〇kmを新政府の施政方針に入れることさえ叶わなかった。それどころか、あれほど憎んでいた旧式の褐炭火力発電所を今では次々と稼働させているのです。こうなると、支援団体と緑の党の間に隙間風どころか、暴風が吹くことは避けられません。

福井：緑の党は、かつては反体制のアウトサイダー色が濃かったのですが、最近では完全に体制内左派政党となりました。軍事外交政策でも対露強硬派の急先鋒ですし。やはり権力は〝蜜の味〟なのでしょう。日本の公明党に似ているといえば似ている。

川口：そういう意味で、モーガンという世界の活動家の親玉級の人物を引き込むことにより、政策で頑張ってもらうと同時に、ＮＧＯのブーイングも宥めてほしいと願っていると思います。

ドイツの脱原発のコストは年間一・三兆円

福井：原発を止めたらコストが幾らぐらいかかるか。スチーヴン・ジャーヴィスＬＳＥ助教授らが二〇二二年に《*Journal of the European Economic Asseciation*》（20巻3号）で、原発以外の代替手段を比較基準に推計を行っています。原発を全廃する過程で、環境汚染などの社会的コストが年間約三〇億ユーロから八〇億ユーロかかるといいます。日本円で約五千億円から一・三兆円くらい。この論文は、ZEW研究主任兼ハイデルベルク大学教授のセバスチャン・ラウシュが、世界的に知られた学術誌『ネイチャー』の姉妹誌の一つ《*Nature Climate Change*》（一二巻、二〇二二年四月）で紹介しています。

また、米経済学会が発行する《*Journal of Economic Perspectives*》（JEP）には、福島原発事故が起こって間もない二〇一二年に、「原発の見通し」と題して、原発のメリット・デメリットに関する展望論文が掲載されました（26巻1号）。主に石炭・天然ガスと比較し、原発は燃料コストでは優位なものの建設コストが大きいので、経済的には原発は分が悪い。

原発に関しては、日本やドイツと比べて、アメリカではわりと冷静な議論が多いように思います。

川口：原発賛成と反対の両方の議論を紹介するメディアがあるからですね。日本やドイツは反原発や脱原発の研究者の言い分しか報じない。少なくとも今まではそうでした。

ドイツでは脱原発でのコスト高を推進派は全然問題にしていません。特に緑の党は、本末転倒というか本当に酷いのは、ガス価格であろうが原油価格であろうが価格が上がれば人々が使わなくなるからいいという発想です。さすがにこれは叩かれましたが、しかしそれが本音なのです。石油を使うので飛行機はダメ、豪華客船はダメだと国民に呼びかけているくせに、実は、議員が一番多く飛行機を利用していたのが緑の党でした。
　脱原発や脱石油、脱炭素を推進するグループは再生可能エネルギー誘導することによってビジネスが拡大し儲かればいいと思っている。脱炭素というのであれば原発を稼働したほうが目標を達成できるのにそうしないのは矛盾している。しかし彼らはそれで一向に構わないわけです。自分たちと国民は別だと考えているのでしょう。
福井：環境問題といえば、アメリカの副大統領だったアル・ゴアも、二〇〇七年二月に「不都合な真実」がアカデミー賞をとった直後に、自宅の電気利用量が異常に多いことを保守系シンクタンク《National Center for Public Policy Research》に暴露されました。ゴアは自宅を改造してエネルギー効率化に努めると釈明したものの、このシンクタンクが二〇一七年に情報開示によって得たデータによれば、二〇一六年のゴアの自宅の電気利用量は一般家庭の二〇倍を超えていました。
川口：NGOという正義漢っぽいクリーンなイメージに国民は騙されてしまったのです。
福井：アメリカでは、福島原発事故の後も、脱原発の声が特に大きくなっておらず、新しい原発が建設されています。実際、タフツ大学教授ジェフリー・ザーベルらによれば、アメリカでも原発事故の直後、原発周辺の不動産価格が影響を受けたものの、一年程度で通常の価格に戻りました（*Journal of Environmental Economics and Management* 88巻）。

川口：それはアメリカだからですね。でもドイツは、原発に関する報道は偏向していますから、国民は冷静に考えさせてもらえない。緑の党のハーベック経済・気候保護相は、電気代抑制のためのいろいろな愚案、たとえば風車を一〇万本にするなどと言っていますが、本来なら、原発を再稼働すれば、かなりの部分、解決できるわけです。少なくとも電気を今ほどたくさん、高い値段で輸入しなくて済むようになる。

結局、ドイツの原発アレルギーは、韓国や中国が福島原発の処理水に対する反応と似ています。一方は日本が憎い。もう一方は原発が憎い。どちらも、福島の事故などとは、基本的に関係ありません。それは大学教授といった教養ある人たちでさえ同じです。

福井：前述のジャーヴィスらの論文ではそのような主観的コストも計算していて、ここ二〇年のうちに福島原発事故と同規模の事故がドイツで起こる確率が一〇％から五〇％でないと、原発全廃を合理的に正当化できないくらいの「恐れ」ぶりのようです。全世界で六〇～一五〇年に一回福島級の事故が起こる確率が五〇％とされています。したがって、二〇一一年の原発シェアが世界で四％のドイツで福島級の事故が、二〇年間に一回起こる確率は高く見積もっても一%未満です。だから、原発全廃というのは異常なまでの主観的恐怖を前提にしないと説明がつかないということです。

川口：福島原発事故を利用して恐怖心を煽っていますね。ウクライナ戦争でも、ロシア軍が制圧したザポロジエ原発をチェルノブイリ事故に重ねて恐怖心を煽るニュースが繰り返し報じられています。ただ、ウクライナの原発は別にして、この頃、さすがにドイツ国民も、ドイツの原発は動かしてもいいのではないかと思い始めていますよ。ウクライナ戦争でエネルギー価格が上昇しました。エネルギーの確保が難しくなっている最中にあって原発を全部止めたのですから、やはり、ここまでやられればドイツ国民も理性が戻ってくる。

福井：でも原発を停止すると年間一兆円くらいの社会的コストがかかってしまう。

原発の場合は建設コストが膨大ですが、燃料などランニングコストは比較的低い。しかも建設コストが大きくなっている理由は安全への配慮なので、ある意味、事故などのリスクもコストに反映されているわけです。前述のドイツ人研究者ラウシュも指摘しているように、原発を全廃した場合の大きな社会的コストを考えると、新規の原発建設反対には合理性はあっても、すでにある原発を利用せず性急に廃止することは、正当化しがたい感情論です。原発の建設コストが上がっているのは、求められる安全性基準が上がっていることと、以前より建設期間が長くなっていることが理由です。安全性基準は、科学的根拠がなくても、政治的つまり恣意的にいくらでも上げることができます。それでも太陽光発電より低コストです（JEP30巻1号）。

川口：それからもう一つ原発で問題とされるのは、日本でも同じですが、核廃棄物の問題。ただ、これはほとんど解決済みといっていいと思います。フィンランドが進める世界初の核廃棄物の最終処分場「オンカロ」は、二〇二五年に稼働予定です。地中深くに放射性廃棄物を埋める「地層処分」と呼ばれる方式で、南西部オルキルオト島の地下四〇〇～四五〇ｍに造られる。この岩盤は二〇億年近く安定しており、氷河期など地上の環境変化にも影響されず、一〇〇万年先も安全だといいます。これがうまくいけば、ほかの国でも造るところが出てくるでしょう。日本にも北海道の一番北にある幌延町の、地下三五〇ｍのところに、核廃棄物を安全に貯蔵するための実験施設があって、私も見せてもらったことがあります。ただ北海道には核廃棄物は持ち込まないという口約束があるため、これをそのまま利用することは残念ながらできないようですが。

いずれにせよ、核廃棄物の問題は世界では解決に向かっているのに、日本では、そしてドイツでも、解決不可能として広められています。

原発政策はフランスを見習え

川口：私はエネルギー政策のことをよく書いていますが、必ずでてくるのが、「日本はドイツを見習え」です。本来なら日本はフランスを見習ったほうがよほどいい。

福井：フランスの原発推進は、経済効率性追求ではなく政治的独立性を確保するためでしょう。アメリカにエネルギー供給を握られては、独自の政治勢力たりえない。原発推進に限らず、フランスは独立独歩の国家たろうと努めています。

川口：実際、経済力がないわりには発言権がありますね。その点も、日本は見習うべきですね。

福井：戦後フランス政治といえば、ドゴールです。第二次大戦でフランスはあっけなくドイツに敗れ、ドゴールはロンドンで、ほとんど実質のない亡命政府をつくらなければならない状況でした。ところが、ドゴールはフランスの威厳を守るため、軍事的にまったく無力であるにもかかわらず、英米と対等であるかのようにふるまった。実質的にフランスからドイツ軍を追い出し、パリを解放したのもアメリカ軍なのに、英米ソとならび戦勝国として、ドイツ占領にも参加しました。

川口：フランスは外交のうまい国ですよね。

福井：ああいう毅然とした偉そうな態度が政治家には必要なのです。当然ながら、ルーズベルトにもチャーチルにも、ものすごく嫌われていた（笑）。

川口：普通は戦争になった場合、その戦果や勝利への貢献度に応じて戦後の発言権が決まるというのに、なんら戦果をあげてないフランスの代表としてあれだけ言いたいことを言う。逆に立派です。それに比べて、日本の政治家は、嫌われないことを金科玉条としています。国民に嫌われるのも、外国に嫌われるのもイヤなので、何もできない。

福井：そもそも英米からすれば亡命勢力内の権力闘争に勝っただけのドゴールをフランスの代表に認めてやったという思いがあります。事実そうですし。にもかかわらず、ドゴールはそれが当たり前という態度を崩さなかった。

まあイギリスも酷いのでお互いさまですが。ドイツに対してフランスが降伏したとき、ドイツの手に渡る前にイギリス海軍はフランス海軍を急襲して軍艦を沈め、フランス兵が一〇〇〇人以上犠牲になっています。実は、同様のことをイギリスはナポレオン戦争時にも、中立国だったデンマークに対して行っています。

原発に話を戻すと、私は日本で原発に反対している人たちを見ていると、結局「押し切ってもらいたい」のではないのかなとも思えるのです。安保法制に反対していた人たちもそうでした。当時の安倍晋三首相を目の敵にして、あれだけ連日デモを行い、反安倍キャンペーンを繰り広げていたのに、いざ法案が通るとすっかりおとなしくなってしまいました。
立憲民主党の政治家を見ていると、支援者に向けて反対のポーズをとっているだけで、おそらく信念からのものではないでしょう。「頑張って反対していたのに、けしからんやつらに押し切られてしまいました」、ということにしたいだけなのです。
川口：確かに反対派の言い分を聞くと、論理的ではないですね。それは自分たちでもわかっているということですか？
福井：岸田首相が原発再稼働を全面的に進めて、その結果電気料金が下がれば、料金を上げても原発を止めろという主張は、一部の運動家以外、誰も相手にしなくなるでしょう。
川口：電気代の値上げが原発利用の追い風になるでしょうね。再稼働させた関西電力や九州電力は値上げせずに済みました。効果が目に見えれば、世論は一気に変わる可能性がある。ドイツもそうです。
そもそも、電気代を安定させようとする電力会社の努力はもっと評価されてもいいのではないでしょうか。

福井：政治家が原子力規制委員会に判断を預けるかたちをとっている現在の体制は、委員の保身第一の無責任なものにならざるをえない。委員長および委員は「人格が高潔であって、原子力利用における安全の確保に関して専門的知識および経験並びに高い識見を有する者」から首相が選ぶ（設置法7条）ということになっていますが、大学のセンセイに高潔な人格や胆力を期待することはできません。そもそも、研究者にはそんなものは求められていないし、そんな基準で選ばれてもいません。あくまでも限られた専門分野に関するエキスパートであって、専門家内での評判を気にする小心者と思ったほうがいい。私もそうですが（笑）。

川口：だけど、学者がお金に靡（なび）いて、真実でないことを言うというのは問題です。それが、気候温暖化の研究ではしばしば起こっているから、結局、国民が割を食って貧しくなるのです。

政治家が悪いのか、選んだ国民が悪いのか

福井：今のヨーロッパの政治というのは大統領あるいは首相などトップの権限が強大で、トップが選挙に勝ちさえすれば、選挙の洗礼を受けていない側近たちが跋扈（ばっこ）し、やりたい放

題になっている。議会がほとんど機能していないからです。その点、アメリカは議会の権限が強い。議員は支持者に直接向き合っているため、庶民の声に敏感にならざるを得ないので、イデオロギー先行の無理筋は通らない。議会の各委員会、特に委員長と野党の筆頭理事の権限が強く、長年にわたって同じ仕事をしているので、政策にも精通している。これはアメリカのいい点ですね。ただし、その弊害として、特に上院では当選回数がものをいうので、日本どころではない老人支配となっています。先頃九〇歳で亡くなったダイアン・ファインスタイン上院議員は認知症で、ここ数年は発言どころか採決の挙手もままならず、スタッフがつきっ切りで世話をしていました。

日本も以前は分野ごとに政策に精通した議員が多くいました。いわゆる「族議員」と呼ばれる人たちです。批判もされましたが、二、三年で交代する役人よりよほど政策に詳しかった。ところが今は中選挙区よりはるかに競争が苛酷な小選挙区になって、テレビに出て目立つことなどパフォーマンス優先の議員が増え、政策通と呼べるような議員は減ってしまいました。

デモクラシーにおいて地に足がついた政策を進めるためには、首相への権限集中は必ずしも望ましいことではなく、首相も無視できない族議員の存在が必要ではないでしょうか。

川口：ドイツでは経済、および政策研究を行う公的機関Ｉｆｏ研究所の長官が、ショルツ首相に原発の再稼働を提案しましたが、同じことは、ＡｆＤや現在、与党である自民党も前々から主張していたことです。ところがショルツ首相は、原発のことを「死んだ馬」と切り捨てた。原発は、二年後に政権が変わったとしても、復活にはもう手遅れなので、このままいくと、本当に死んだ馬になり、その結果、ドイツは着々と脱産業に向かうでしょう。現政権のもたらす被害は、ドイツの将来にとって限りなく大きい。もちろん、そんな政治家を選んだ国民の責任も極めて大きいのです。

第6章 国家崩壊はイデオロギーよりも「移民・難民」

カダフィ大佐

事実上ドイツに入り放題の難民たち

川口：ドイツが受け入れた難民は二〇二二年だけで一三〇万人超。これは二〇一五、一六年の難民危機のときを超えた数字です。

ドイツでは、入ってきた難民は連邦政府が容赦なく州に送り込み、州政府はそれを仕方なしに自治体に振り分けるため、実際困窮しているのは、難民を受け入れている市町村です。

彼らを収容する場所があればいいのですが、それにも限りがあります。もちろん、送られてきたその瞬間から、最低限の衣食住の手当はしなければならないし、その後も、学校、託児所の手配、さらに医療や心理ケア、ドイツ語習得のための講座と、さまざまな庇護が必要になるから、どの自治体でも、お金はもちろん、住宅、職員、教師などすべてが不足し、すでににっちもさっちもいかない状態です。閉鎖した工場や倉庫や兵舎、倒産したホテルやスーパーマーケットから、学校の体育館にまでベッドを並べている自治体もあれば、老人ホームの居住者を違う階に移して場所をつくったり、集落のはずれの空き地にテントを並べたりして急場をしのいでいる自治体もあります。

現在、難民として認められやすい国は、シリア、アフガニスタン、トルコ、イラク、イランなど。でも他の国からの申請者であっても、政治的、人種的、宗教的理由などで迫害されている事実が確認されれば、難民として認定されます。最近では、気候温暖化による環境破壊や、LGBTへの迫害も難民資格として認められるようになってきたので、「自分はゲイなので迫害された」という理由でも、原則、OKです。ただ、たいていの人は、難民資格がなく、単に、より良い生活を求めてやって来る人たちですから、本来なら、審査に落ちた後は母国に帰らなければならない。でも、実際問題として、一度入ってきた難民は、認められようが、認められなかろうが、永久にとどまるケースが非常に多いというのが実情です。

歓迎されているウクライナ難民

川口：一方、いま非常に多いウクライナ難民は、その他の難民とは別です。これまでもウクライナ人は、日本人などと同じく、三カ月間ならビザなしでEUに入れましたが、今はその縛りが外されて、ウクライナ人なら自動的に、一年間の滞在許可を得られます。まあ、ウクライナ難民はほとんどが女性と子供なので、犯罪の心配も少ないし、女性はドイツで不足している介護職などに携わってくれるという期待もあり、政府としては当初、それほど神経質にはなっていませんでした。彼らがちゃんと職に就き、そのうち高齢化社会ドイツの救世主となってくれることも期待されていたかもしれません。

ウクライナ人は最初から合法の移民扱いなので、すぐさま職業に就けるし、子供たちは普通に学校に通える。ウクライナ移民は今回の戦争以前から多く住んでいたし、宗教のベースがキリスト教ということで、文化的にもそう離れているわけではないから、それほど摩擦もない。多くはドイツにいる知り合いや親戚を頼っているので、中東難民などよりはずっと早く社会に溶け込んでいる。戦争が長引いているので、多くのウクライナ人の滞在期間は、すでに一年を超えているし、そのまま住み着くことになる人も多いのではないでしょうか。

ウクライナは貧しい国で、政治が極度に腐敗していたため、かねてより豊かな生活を求めてドイツに移住したい人たちが多かった。一九九〇年代、ソ連崩壊の後、ドイツ系ウクライナ人が大勢帰国したし、出稼ぎ労働者としてドイツとウクライナの間を定期的に行ったり来たりしている人たちが、ウクライナ戦争の勃発前にすでに二五万人もいたといいます。その多くが女性で、介護などに従事していました。いずれにせよ、戦争勃発以来、ドイツのアウトバーンを走っていると、しょっちゅうウクライナ・ナンバーの乗用車やマイクロバスを見かけます。なかには高級車もあります。

ただ、これまでは恒久的な滞在許可を得ることはそう簡単ではなかったため、ドイツに移住したい人たちにとっては、今がまたとないチャンスです。特に、介護職は慢性的な人手不足ですから、職さえ確保できていれば、そのうち避難民ビザが永住ビザに切り替わる可能性は限りなく高い。ウクライナ難民は、基本、ドイツ人と同じ扱いで、子供たちは学校に通い、先生も特別授業のためにウクライナ人が起用されたりしています。この好待遇に、白人とそれ以外の難民を差別しているという非難の声が上がっているほどです。

福井：第二次大戦後、復興著しいドイツが最初に受け入れたのが、南欧からの移民でした。さらに戦前に遡れば、ポーランド人移民も多かった（Dahlmann 他編 *Schimanski, Kuzorra und andere*）。こうした同じキリスト教文化圏からの白人移民は、比較的短期間でドイツ社会に溶け込み、今ではもともとのドイツ人と完全に同化しています。ウクライナ人も同様の道を歩むのではないでしょうか。ドイツに限らず移民受入国の社会に同化せず、それとは別の「並行社会」（Parallelgesellschaft）を形成している中東からの移民やその子孫とは異なります。

難民による殺傷事件が急増

川口： そうです。問題はイスラム系の難民です。シリアやアフガニスタンのように、戦闘や混乱のため、難民資格を認められている国からの人でさえ問題が多いのに、その他、北アフリカ諸国やバルカン半島、アフリカなど、本来、難民として認められる可能性がほとんどゼロの国の人も、とめどなく入ってきます。圧倒的多数が若い男性です。

二〇一五年、一六年には、それらの難民が、ドイツだけで一〇〇万人以上も入りました。それから八年が過ぎましたが、職に就いているのはまだ半数ほどだそうです。彼らを養っているのはドイツの社会保障費ですが、その持ち出しは、二〇三〇年になっても年間一〇億ユーロ（約一六〇〇億円）を下らないだろうという試算もあります。中東難民を安い労働力として活用するはずだった政界、産業界の期待は、とっくの昔に外れ、もう、誰もそんなことを言いません。

そこに加えて、現在、先ほど申しました第二弾の大量流入が起こっているわけです。エネルギーのあり余った若い男性たちが、パンク状態の収容施設で暮らしているのですから、彼らのストレスたるや尋常ではありません。しかも、自治体のなかは自由に動き回れますから、おのずとその市町村の治安も悪くなる。欲求不満は募り、捨て鉢になったり、精神に異常をきたしたりする人が出てくるのは、当然といえます。

最近の傾向としては、難民によるナイフを使った殺傷事件が急激に増えており、仲間内の抗争だけでなく、一般市民や小中学生の女の子が殺傷されるという凶悪な事件も、複数起こっている。だから最近では、自治体が新しい難民収容施設を設置しようとすると、近所の住民の間でものすごい抵抗運動が起きます。入居直前に放火された施設さえあったほどでした。

福井：難民というのは本国で迫害されているから逃げて来るのだとすれば、女性や子供が中心となるのが自然です。ところが、中東やアフリカから来る〝自称難民〟はほとんどが若い男性です。家族の守り手であるはずの自分たちがいなくても、妻や母そして子供は大丈夫という確信があるからとしか考えられません。こうした状況は難民という概念とは辻褄が合わないように思えます。

人の命を食い物にする「難民ビジネス」も横行

川口：難民問題には、それを食い物にしている人たちもいます。EUに行きたい人たちを斡旋し、不法入国を助けているのは国際犯罪組織です。彼らにとって「難民ビジネス」は、何年も前から麻薬よりも割のいい資金源となっているといいます。甘い言葉で、EUに行けば仕事もあり、いい生活ができると言って大金を巻き上げ、ボロ船に乗せるのです。密航希望者が支払うのは成功報酬ではないため、たとえ船が沈没しても斡旋者は丸儲け。酷い話です。

難民の入ってくるルートはくるくると変わります。規制がキツくなると、すかさず次のルートが開拓される。どんなに塞(ふさ)いでも水が染みてくるように、難民は隙間を見つけて入ってきます。私は、一〇年以上も前、日本で難民問題など誰も興味を持っていなかった頃から、ずっとこの問題をフォローしており、そこら辺の事情は、二〇一九年に上梓した『移民・難民　ドイツ・ヨーロッパの現実　2011－2019』（グッドブックス）で、詳しく書きました。しかし、それから四年、状況は刻々と悪くなっています。EUにとっても、難民志願者にとっても。

二〇一五年、一六年の、メルケル首相が「我々にはできる！」と言って国境を開いてしまったときに入った難民は、中東難民が多かった。彼らはまずトルコに入り、そこからボートで目と鼻の先のギリシャの島に渡るという方法が多くとられていました。トルコ沿岸から至近距離といってもいいギリシャの島、レスヴォス島への距離はたった九kmほどです。でも、EUとトルコが協定を結んで、そのルートが機能しなくなったり、あるいは、ギリシャ当局の警戒が強化されたりして、リビアからイタリアとか、レバノンからキプロスとか、どんどんルートの危険度が高くなっていきました。

レバノンからキプロスなんて一七五kmもありますから、海の藻屑（もくず）となってしまった人は数知れないでしょう。IMO（国際海事機関）が九月に発表した数字によれば、二〇二二年の地中海での死亡者、および行方不明者はすでに一三〇〇人を超えているといいます。しかも、これは公式に確認された数なので、おそらく氷山の一角にすぎないのでしょう。

一方、陸路で入ってくる難民は、トルコからブルガリア、あるいは北マケドニア→セルビアなどバルカン半島を北上し、ハンガリー→オーストリア、そしてドイツ、あるいは、そのままもっと北上する場合もあります。いわゆるバルカンルートを使って入って来るのです。彼らはずっと歩いてくるわけではなく、これも犯罪組織がお金を取り、いろいろな手段を使って国境侵犯を幇助するわけです。ヨーロッパは道がつながっていますから、トラックに何十人も詰め込んで運ぶことも多く、時には何を間違えたか、密閉の貨物車などで運ばれた人たちが途中で全員窒息死してしまい、そのトラックが放置されるといった、稚拙、かつ極めて凄惨な事件も起こっています。ただ、どんな悲惨なことが起こっても、EUに入ろうとする人たちは後を絶ちません。EUのシェンゲン協定加盟国では、基本、国境検査がありませんから、どこかに忍び込めば、EUで暮らせると思うのでしょう。

絶対に難民を入れないという東欧諸国の覚悟

福井：その点、日本は他の先進国と比較すれば、まだましな状況です。政府が難民申請をほとんど認めず、基本的に難民を押し返しています。東ヨーロッパもそうですね。そのため、非人道的であるとして、海外からのみならず、我が国のいわゆる人権派からも批判されています。多くの日本人にとっては意外かもしれませんが、欧米のナショナリストからは、欧米諸国と違い日本政府は日本人のための日本を守ろうとしているとして、その「排他性」を評価されています。

川口：ＡｆＤは、日本が難民受け入れを制限しているからといって〝日本モデル〟を見習うべきだと言っています。私は買い被りじゃないかと思うのですが（笑）。日本がドイツほどひどくならないのは、海のおかげです。飛行場を厳重に監視すれば、不法入国はほとんど見つけられる。それに比べて、陸の国境ではこうはいきません。

その点、ポーランドやハンガリーは、明確な信念を持って、難民の受け入れを拒否しています。「ポーランド国民は祖国を、現在、フランスの多くの街で見られるような風景にするつもりはない」（欧州議会のポーランド人議員の言葉）。彼らは、ウクライナなど文化的に親和性のある国からの移民・難民は受け入れても、中東からの文化的に異質な難民は受け入れない方針を貫いています。どちらもＥＵの国境に位置するので、塀を作ったり、軍を貼り付けたりと、あらゆる手段でＥＵ国境を防衛しています。

特に去年は、ベラルーシからポーランドへの難民の侵入が大問題になりました。ベラルーシとポーランドの国境は約四〇〇km。多くの場所では二国を分ける自然の障害物もなく、森や草地が茫々（ぼうぼう）と続くのですから、当初、ポーランドは防ぎようがなかった。これは、どうも、ベラルーシが中東難民を空路で呼び込み、彼らをバスなどでポーランド国境まで輸送してＥ

Uに押し込んでいたと言われています。アレクサンドル・ルカシェンコ大統領がそれを黙認、あるいは支援した理由は、アメリカやEUによって制裁をかけられていることに対しての復讐らしい。いずれにせよ彼は、一国を弱体化させる一番簡単な方法は、難民を大量に送り込むことだと心得ているのでしょう。

ポーランドは大慌てで塀の建設に取り掛かり、ドゥダ大統領は九月二日、国境地域に緊急事態宣言を発令。さらに一万のポーランド兵士を国境地帯に投入し、ドローンなども利用しつつ、たとえ子供連れでも追い返すという徹底した防衛を行ったようです。ここには、報道陣やNGOさえ入れませんでした。

こんなポーランドやハンガリーが、ギリシャやイタリアに入ってきた難民を手分けして引き取れというEUの案に断固反対するのは、当然でしょう。そのため、連帯の意志が欠如するとして非難されても、彼らはそれに屈するほどヤワではありません。

福井：ドゥダ大統領はリアリストであり、ウクライナを溺れる人に譬え、「救助者を巻き添えにしかねない」と発言するなど、その率直な物言いには好感が持てます。今の日本の政府・与党重鎮で堂々とこんなことを言えるのは、麻生太郎さんくらいかな（笑）。

本音では難民を受け入れたくないＥＵ諸国

川口：ただ、難民受け入れは人道であるとか、ＥＵにいる難民をＥＵ内で平等に分配しようとか、模範的なことを言っていた国々も、本当にその約束を実行しているかというと、そうでもない。

ベラルーシ政府はというと、気温が零下にもなる森の中で身動きが取れなくなった難民の姿を報じては、ポーランドの非人道性をアピールしましたが、いつも「人道」ばかり強調しているＥＵの欧州委員会では、ドイツ人のウルズラ・フォン・デア・ライエン委員長も、ポーランドに難民を受け入れよとは言わなかった。ポーランド国境に穴が開けば、難民はドイツに向かって行進してきますから。結局、ＥＵの多くの国は、ポーランドが「非人道」と言われつつも国境を防衛してくれていることに感謝しているのです。難民問題は、ＥＵの偽善をどんどん暴いていくようです。

ＥＵのダブリン協定によれば、加盟国は本来なら侵入者を一時庇護し、難民申請のチャンスを与えるのが決まりですが、ポーランドはそれをせず、国境防衛の塀を築き、しかもその費用の補助をEUに請求した。フォン・デア・ライエン委員長は断固拒否したのですが、まず、欧州理事会（EU加盟国の首脳の集まり）のシャルル・ミシェル議長（ベルギー）が造反。これを皮切りに、EUの内務大臣たちも後に続きました。

アフリカのモロッコの北岸にあるスペインの飛地セウタには、三〇年も前から巨大なフェンスがありますが、これはEUがお金を出したものです。高さ一〇mを超すこのフェンスには、レイザー（剃刀）ワイヤーが仕込んであり、現在は外されているものの、あまりにも残酷で評判が悪かった。その東側のメリリャもやはりスペインの飛地で、巨大なフェンスで住民を守っています。

ところが、ハンガリーのオルバン首相が二〇一五年にセルビアとの国境に塀を造ったときも、また、トランプ米大統領がメキシコ国境に塀を築くと言ったときも、非人道的であるとして口をきわめて非難したのがEUです。だから、今さら自分たちの塀を認めるのは気が引けたらしく、現在、これを「物理的障害物」と呼んでいます。呼称を変えるというのは彼らの得意技ですが、呆れますね。

大多数の国民が〝損〟をする移民政策

福井：私は、故竹内靖雄成蹊大元教授にならって、何事も「感情」ではなく「勘定」の問題としてとらえることが、冷静で建設的議論には不可欠だと思っています。損得勘定でみれば、実は移民推進は、受入国の一般国民にとって損な政策です。得をするのは移民自身と、移民労働者が従事する仕事の賃金が下がることの恩恵を受ける、企業経営者をはじめとする社会のエリート層いわゆる上級国民です。

抽象的で深遠な理想論ではなく、移民の経済効果を具体的に見てみましょう。

出生率の低下で人口が減少するなか、新たな労働力として大量の移民を受け入れれば、GDP（国内総生産）が押し上げられることは間違いありません。ただし、移民労働の成果の大半は移民に賃金として支払われます。したがって、比較すべきは、移民を受け入れなかった場合のGDPと、受け入れた場合のGDPから移民に帰属する分を除いた額です。また、川口さんがおっしゃったように、移民受け入れにより、教育や福祉など財政支出が追加的に必要になることも、考慮する必要があります。

その際、移民大国アメリカを対象とした、移民の経済分析の第一人者である、ハーバード大のジョージ・ボーハス教授の研究が大いに参考になります（『移民の政治経済学』）。二〇一五年のアメリカのデータに基づく推計では、米国労働者の一六％を占める移民のGDPに対する貢献分は一二％にもなります。しかし、移民に帰属する分を除くと、ネット（正味）の貢献分はわずか〇・三％にすぎません。この〇・三％の貢献分というのは、移民受け入れによる税収増を除いたネット（正味）の財政負担分を考慮していません。このコストが少なくとも貢献分と同程度の金額にのぼるので、結局、差し引きすると、もとからいる国民全体でみれば、大量移民の経済効果はほぼゼロということになります。

しかし全体としてプラスマイナスゼロでも、グループごとに与える効果を分析すると違う側面が見えてきます。

アメリカでの移民の経済効果を自国労働者と企業に分けてみると、労働者の取り分は三％減少する半面、企業の取り分は三％増加するのです。

労働者のなかでも、移民労働者との競争で賃金低下圧力にさらされるのは、相対的に低い賃金の職に従事する人たちです。移民参入によって競合する職種の労働者の数が一〇％増えると、その賃金が少なくとも三％、場合によっては一〇％程度低下するとされます。一方、移民労働者と競合しないエリートたちは、単純労働の賃金低下で利用するサービスの価格が下がるなど、逆に移民労働の受益者となるのです。

大企業経営者をはじめ、各界の指導層に移民推進論者が多いのは、要するに自分たちにとって得だから。移民受け入れは、労働から資本への所得移転に加え、低賃金労働者から高賃金労働者への所得移転を引き起こします。アメリカに限らず、先進国における移民推進とは、大衆からエリートに所得を再分配する、格差拡大政策だということです。

自国の労働者を守るため左翼こそ移民に反対せよ

福井：ボーハス教授も指摘しているように、欧米諸国の大衆が移民制限を訴える「極右」政治家を支持するのは、人種差別や排外主義などではありません。自分たちが損をするからであって、「感情」ではなく「勘定」の問題なんですね。

そう考えると、昨今流行(はや)りのダイバーシティや多文化共生の移民推進論も、実は正義感あふれる「感情」論のようで本当は「勘定」論とみることもできる。人道云々の高邁な理想論は、実は損得勘定からの移民推進をカモフラージュするための煙幕と言ったら、意地悪すぎるでしょうか。

本来弱者の味方のはずの左翼・リベラルが、欧米では移民受け入れ推進の先頭に立っていますが、これは比較的最近の現象です。

もともと、左翼・リベラルは、支持基盤だった労働者の利益を守るため、移民受け入れには慎重でした。冷戦時代、「移民の継続は深刻な問題をもたらす。合法、不法とも移民をストップせねばならない」と主張したのは、欧州左翼の大立者ジョルジュ・マルシェ仏共産党書記長であり、「不法移民流入を阻止せねばならない。この目的を達するため、国境警備要員を増やさなければならない。合法移民に関する法律も、合衆国が移民の数と質をもっとコントロールできるよう改正せねばならない。難民受け入れに関しては、まず、合衆国は、無責任な他国内政への干渉（こうした干渉はほぼ確実に政治難民を生み出す）によって難民が生じることに、もっと用心しなければならない。本当に難民かどうか、より確実に難民申請を審査せねば

ジョルジュ・マルシェ

ならない」と自著に書いたのはベトナム反戦で名を馳せたリベラルの雄、ユージン・マッカーシー民主党元上院議員（*A colony of the world*）です。

要するに、今日の労働者は左翼・リベラル主流派に見捨てられたということです。その点、ドイツの「極左」政治家ヴァーゲンクネヒトが、本来の難民とはかけ離れた大量の労働移民受け入れはドイツの労働者賃金低下をもたらすので、自国の恵まれない人を守るのが使命であるはずの左派こそ移民に反対しなければならないというのは、首尾一貫した正論です。

デンマークが移民に対して厳しい政策をとっているのは、国境を塞がないと高福祉国家は維持できないからです。アメリカのように誰でも来ていいが、野垂れ死にすることになっても知りませんと突き放せるなら大量移民受け入れも可能でしょう。しかし、誰にでも一定の生活水準を保障しようという福祉国家と大量移民は両立しません。

賃金を上げれば、〝やりたくない〟仕事はない

福井：それからもう一つ、あたかも自明のごとく語られる主張のまやかしを指摘したいと思

います。豊かな社会では、必要ではあっても自国労働者がやりたがらない仕事が増え、移民なしにはやっていけないという主張です。しかし、移民が従事するのは、自国労働者がやらない仕事ではなく、今の賃金ではやりたくない仕事です。

不法移民を一掃したアメリカのある地域で現実に起こったように、移民が来なければ、自国労働者がやりたくなる水準まで賃金は上昇します。また、企業は技術革新で乗り切ろうとする。現に、ブルーカラーの賃金上昇と省力化はともに、我が国が高度成長期に経験したことです。その過程で、相対賃金は大きく変わりました。高度成長前、お金持ちとはいえない中流家庭にも「お手伝いさん」がいました。しかし、エリートと庶民の賃金格差縮小で、今では、「お手伝いさん」はお金持ちにだけ許された贅沢となりました。

現在、人手不足と言われるトラック運転手や介護職員にも、同様のことがいえます。労働集約型サービスは、格差が小さい豊かな社会では贅沢品なのです。それを安価で利用しようというのは虫がよすぎます。利用者が直接支払う料金を上げるか、税金というかたちで国民全体が負担して、サービスを提供する労働者の賃金を働きたくなる水準まで上げるしか、抜本的解決策はないのです。

アメリカでは、エリート女性が不法移民のメイドを雇っていたことがばれて、釈明に追われるということがしばしば起こっています。人権尊重などの綺麗事（きれいごと）に惑わされることなく、損得勘定でみれば、移民推進で得をするのは途上国からやってくる移民と自国のエリートであり、損をするのは一般の国民だということが明らかなのです。

川口：人道的でありたいという願望の強いドイツ人も、移民はともかく、難民の多さには、さすがに明確な拒絶反応が出ています。難民はドイツの場合、難民資格がなくても滞在が容認され、いずれ、皆、移民になってしまうのです。ですから、二〇二三年三月末、世論調査機関のアレンスバッハが公表したアンケート結果では、回答者の六割が、「ドイツはこれ以上、無制限に難民を受け入れることはできない」とし、五割は、現在法律で認められている難民の権利を縮小すべきだと答えるようになりました。さらに八五％の人が、難民は雇用の改善にも社会の多様化にも役立たないと考えています。日本では、あまり報道されませんが……。

移民・難民政策を大転換したスウェーデン

福井：ロシア帝国領だったフィンランドは、第一次大戦後に独立し、当初からソ連とは緊張関係にあり、第二次大戦ではドイツ側で戦って敗れ、一部領土を失いました。そのため、戦後、独立を維持するため、ソ連に配慮せざるをえない立場にあり、NATOには入りませんでした。一方、スウェーデンは第一次大戦も第二次大戦も中立の立場を堅持し、戦後も西側に友好的ながらも中立政策を貫きました。フィンランドの場合は、もともとロシアに対する警戒心が強いので、ウクライナ戦争を機にNATOに加盟したことは驚きませんが、スウェーデンが国是ともいえる武装中立方針を捨ててNATO加盟を申請したのは、思い切った方針転換です。武装中立はスウェーデン国民の独立自尊志向の表れと思っていましたが、よく国民がその方針転換についていきましたよね。

川口：スウェーデンは難民政策でも一八〇度転換した国です。ほぼ全員と言っていいくらい受け、すぐに永住許可を出していた難民を、一切拒否するように一瞬で変わった。

福井：人口が一〇〇〇万人くらいだから、難民を受け入れるとすぐに「別の国」になってしまいます。実際、もともと国民の同質性が高い国だったのに、わずか数十年で多民族国家化が進んでしまいました。

川口：犯罪も増えて銃による犯罪がマフィアのメッカ、シチリアよりも多いといいます。平和で静かな国ではなくなってしまった。やはり難民受け入れに積極的だったデンマークは、一足先に難民をシャットアウトしました。ドイツとの国境は自転車でも入れますが、今は厳重に国境を見張っています。

福井：そのため、人権ロビーからデンマークは日本と並んで非難されています。こうした人たちは、自分たちは難民と接することのない生活を送っているので、無責任なことが言えるわけです。自国の庶民を窮地に追い込んでおいて、自らの正義に酔っているともいえる。さらに、正義感を満足させるだけでなく、先ほど述べたように、勘定の面でも、難民は現実には安価な外国人労働者であって、エリートには得なわけです。自国ファースト、というより自国の一般国民ファーストが、本来の政治家のあるべき姿でしょう。

川口：トランプの「アメリカファースト」で何が悪いのか。日本は「日本ファースト」でいってほしいものです。

福井：「アメリカファースト」というのは、アメリカでは戦後長い間、タブーとなった概念でした。日米戦争が始まるまで、ヨーロッパで始まった第二次大戦参戦に反対するアメリカファースト委員会が主導する反戦運動が大きなうねりとなりました。その先頭に立っ

ドナルド・トランプ

ていたのが大西洋単独無着陸飛行を初めて成功させ国民的英雄となったチャールズ・リンドバーグです。国民的基盤を持つ草の根の運動でしたが、参戦派からリンドバークは反ユダヤ主義者と非難され、アメリカファースト運動自体もそのようにみなすことが、戦後、定着しました。しかし、こうした通説は、リンドバークに関しても（Duffy, *Lindbergh vs. Roosevelt*）、運動自体に関しても（Doeecke編, *In danger undaunted*）、事実とは異なります。ちなみに、ジョン・F・ケネディとジェラルド・フォード元大統領もこの運動に参加していました。

チャールズ・リンドバーグ

一方、トランプはニューヨークを活動の拠点とする実業家としてユダヤ人社会と良好な関係を築いており、娘婿もユダヤ人で、反ユダヤ主義者とは到底言い難い。ただ、最初の選挙中から反イラク戦争を前面に出していたことから、ネオコンには警戒されていましたし、大統領就任後も足を引っ張られ続け、今に至ります。

一九七〇年代のカーター大統領以来、トランプは、初めて新たな戦争、正確には対外武力行使をしなかった大統領です。「世の中カネだ」という人のほうが、イデオロギーの人よりも断然、話が通じやすいし、平和志向で安全です。

イデオロギーよりも人

福井：イデオロギーというのはその呪縛から解けたら終わります。抑圧されていた伝統は意外なほどすぐに復活します。ソ連崩壊後のロシア・東欧がそうでした。しかし、移民を大量に入れたら、社会の様相は根本から変わってしまいます。最悪の場合、これまでの文化が消えてなくなってしまう。異文化の人間集団が大量に入ってくるというのは一種の侵略なんです。ロシアでも東欧でもマルクス・レーニン主義というイデオロギーに支配されていたのはほんの一時期で、しかも、冷戦後期には本家のソ連でも、ほとんど誰も、為政者ですら信じてはいませんでした。ただ人を入れるともう後戻りはできません。生物として絶滅するわけではありませんが、一つの文化共同体としてのネーションは消えてなくなります。

でも、ネーションの溶解に抵抗する方法がないかといえばそうではなくて、移民の国と言われるアメリカでさえ、一九二〇年代半ばから一九六〇年代半ばまで四〇年くらい、ほとんどど移民を入れなかった時期があります。やろうと思えばできるのです。

川口：政治家の意志の問題ですね。でも、EUやドイツには、ネーションをわざわざ壊そうと思っている政治家が多いので、話が複雑なのです。

福井：第二次大戦の英雄であり、アメリカ人のための政治を行ったアイゼンハワー大統領は、メキシコからの不法入国者を一掃するため、つまりアメリカの国境を守るために、友人でもあったジョゼフ・スウィング中将に「オペレーション・ウェットバック」を決行させました。これは不法入国者を捕まえてメキシコとの国境の向こう側に戻すだけではなくて、二度と入ってこないようにメキシコの奥深くまで連れて行く作戦でした。自国の国境警備はないがしろにして、世界の民主主義のためと称して、対外軍事介入を繰り返す近年の大統領とは大違いです。メルケルお得意のスローガン「他に選択肢なし」同様、アメリカでも長大な国境を不法移民から守ることはできないので不法移民を受け入れるしかないという主張がなされますが、本当は政治家の意志の問題です。

川口：でも、移民を入れて国家をなくしたい政治家は、人権を持ち出す。

福井：とはいえ、アイゼンハワーが大統領だったのは一九五〇年代、戦後一〇年くらいたった頃で、大昔というわけではありません。当時はできたわけです。

川口：そういえば、三〇年くらい前までは、政治家も結構言いたいことを言っていた時代でしたね。「貧乏人は麦を食え」（池田勇人）なんて、今じゃ絶対言えない。でも、麦は安くて栄養がある！

福井：ドイツでいうと、一部から極右視されていた連立与党CSU党首のフランツ・ヨーゼフ・シュトラウスと違い、保守穏健派とされていたコール首相でさえ、一九八五年のロナルド・レーガン大統領訪独時に、戦後四〇年の和解のしるしとして、武装親衛隊員（SS）も埋葬されているビットブルク軍人墓地訪問を強く要請しました。当然ながら、ユダヤ人のみならず、アメリカ内外で猛反発の声が上がりました。しかし、冷戦下、最前線で東側と対峙しているドイツ首相に配慮し、レーガンは墓地を訪問しました。

結局、冷戦期のほうが、日本もドイツも、ある意味、幸せでした。アメリカも冷戦下、ソ連との対抗上、日本や西ドイツを味方にしておくため、アメリカの対ソ戦略に従っているかぎり、あまりうるさいことは言わなかった。アメリカがドイツや日本に歴史問題で攻勢をかけるようになったのは冷戦後です。ベルリンの壁に守られていたのは東ドイツというより西ドイツだったのです。東ドイツ出身の批評家トーステン・ヒンツは、「一九八九年一一月九日［壁崩壊］と一九九〇年一〇月三日［ドイツ再統一］は、救済も新たな始まりも出発ももたらさなかった。それは死を前にした接吻（der Kuß vor dem Tode）であったのだ」と記しています（*Weltflucht und Massenwahn*）。

クルド人が起こす事件続出で日本でも難民問題が急浮上

川口：ドイツは人権、人権と言いすぎて、政治がおかしな方向にいっている。アフガニスタンの難民がドイツに来て犯罪を犯しても緑の党が反対して祖国に強制送還することができない。人権の守られない国に送るのはいけないということです。アフガニスタンには、死刑があるからです。ただ、私が思うに、ドイツ人女性を殺したアフガニスタン人は、おそらく祖国では無罪になるんじゃないですか。

福井：アフガニスタンとＮＧＯ。『タリバンの詩』（*Poetry of the Taliban*）という、現地の詩を集めて英訳した本があるのですが、そこに《How many are the NGOs!》と題した、自分たちを食い物にするＮＧＯをこき下ろす詩が収録されています。他にもハーミド・カルザイ大統領とジョージ・Ｗ・ブッシュ米大統領の架空の会話を内容とする詩などがあって、その人間味あふれる内容は、欧米メディアが伝える「イスラム原理主義国家」アフガニスタン像が一面的であることを示しています。

川口：ドイツで報じられるアフガニスタンの話題は女の子が学校に行けないとか、大学から女性が締め出されたというようなものばっかりです。もちろん、それも真実でしょうが、この〝上から目線〟報道には、ものすごく違和感を感じます。

福井：タリバンは支持が大きかったから政権を奪還できたんでしょうね。アメリカ人が行ったら大歓迎されると思いきや全然そうではありませんでした。

「名誉白人」である日本人を含む「白人の責務」（White Man's Burden）ということなのかもしれませんが、どこまで「非民主的」異文化社会に介入していいのかというのは簡単にはいえません。それは中国もミャンマーも同じだと思います。

川口：米軍がアフガンから撤退したことについて、『現代ビジネス』のコラム「シュトゥットガルト通信」で次のように書きました。

「女子が大学に行けないとか、職業に就けないというのは、都会のエリートの問題だし、危険に晒されている気の毒な現地スタッフというのも、いわば一部の特殊な人々だ。空港に集まっていた若者たちでさえ、出国できないとわかった今、また家に戻り、望むと望まないにかかわらず、これまで通りの生活を営んでいるはずだ。

それは、戦後、米軍に占領されていた間の日本でも同じだった。普通の日本人は、アメリカ軍との接触などなかったし、占領軍がいようが、いまいが、生活はいつも通り続いた。アフガンの九九％の人たちの生活も、タリバンがいようが、いまいが、一日五回のお祈りをして、畑を耕し、酪農をし、生活はやはりいつも通り続いていているだろう。

さらにいえば、終戦当時、米軍に雇われて羽振りの良かった日本人が、必ずしも同胞から好意的な目で見られていたとは限らなかったように、今、欧米の人々が、彼らこそがアフガン民主主義の担い手であったと評価している現地スタッフが、アフガンの地元の人たちに好かれていたかどうかもわからない」(「タリバン政権のアフガニスタンは本当に西側メディアの言うような『生き地獄』なのか」二〇二一年九月一〇日)

福井：中国大陸に侵攻した日本軍と現地住民の関係がまさにそうでした。都会のエリートを除けば、ほとんどの中国人にとって、日本軍であろうと共産党軍であろうと国民党軍であろうと、その時々の支配者とうまくやっていくことが大事なのです。

川口：私はツイッターやフェイスブックなどSNSはやらないので、何を書かれてもどこ吹く風なのですが、たぶんこの原稿は、女性の人権を蔑ろ(ないがし)ろにしているとんでもない内容だとして、かなりバッシングされたのではないかと思います。でも、この意見は今も変わりません。

福井：中東での女性の教育を積極的に推進していたのがイラクのフセインです。

川口：私イラクに住んでいたのでそれはよくわかります。またリビアのカダフィ大佐も、女性がちゃんと教育を受けられる社会をつくっていました。

福井：女の子が頭にスカーフを巻かないで街を歩き、学校で男子とともに学ぶ。そのような社会をアメリカはアフガンでつくりたかったわけでしょう。しかし、世俗化を進めていたフセイン統治下のイラクではすでにそれが実現していました。

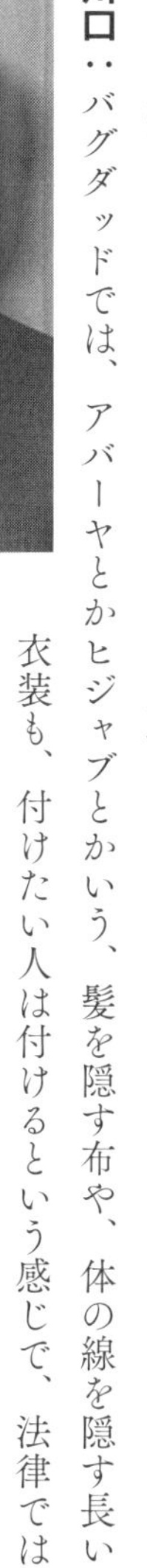

川口：バグダッドでは、アバーヤとかヒジャブとかいう、髪を隠す布や、体の線を隠す長い衣装も、付けたい人は付けるという感じで、法律では強要されてはいませんでした。また、男が戦争に取られていたこともあって、役所など、きれいにお化粧をした女の職員が偉そうに座っていた。もちろん田舎に行くと、アバーヤやヒジャブを付けている女性がほとんどで、若かった私は短絡的に、抑圧されている！　などと憤慨していましたが、今になって思えば、結構、

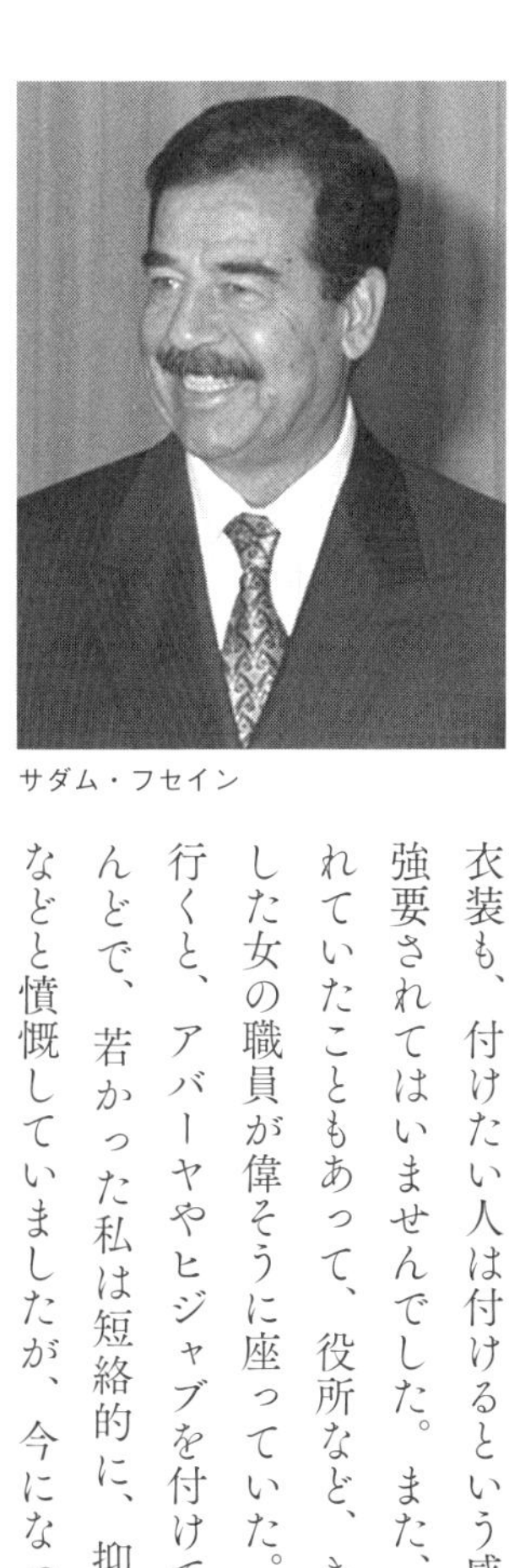

サダム・フセイン

平等な社会でした。

福井：せっかく実現していたのに、今はまたスカーフを強要されている。

川口：他国の文化に手を突っ込むようなことはしないほうがいいという教訓でしょう。

日本でも難民問題の実例が報じられるようになりました。埼玉県川口市で二〇二三年七月はじめ、トルコの少数民族クルド人ら約一〇〇人が市立病院周辺に集結し、県警機動隊が出動する騒ぎとなり、救急の受け入れが約五時間半にわたってストップしました。

また、九月二六日には、クルド人の男が埼玉県警川口署を訪れ、フリージャーナリストの男性を「殺す」「ここに死体を持ってくる」などと興奮状態で話し、脅迫容疑で拘束されたという報道もありました。そのジャーナリストが山積するクルド問題を取材し、発表したことが気に入らなかったのでしょう。実は、私は偶然、以前よりこのジャーナリストを知っていましたが、真摯で優秀な人です。

日本には、五〇〇人から六〇〇〇人のクルド人がいるといいますね。多くは一九九〇年代のはじめ、トルコやシリアから政治難民として流れてきた人たちで、そのほとんどが、埼玉県の蕨市と川口市に住んでいる。通称「ワラビスタン」と呼ばれますが、移民受け入れを進めれば、事態はさらに悪化します。本来ならヨーロッパを他山の石とし、今のうちに食い止めるべきです。

終章

日本は、嫌われても幸せなスイスとハンガリーを見習え

広島サミット。ゼレンスキーと岸田首相
出典:外務省ホームページ
(httpswww.g7japan-photo.go.jp)

G7広島サミット　出典:外務省ホームページ（httpswww.g7japan-photo

ＬＧＢＴへの反撃

福井：アメリカではＬＧＢＴ推進の動きに対し、保守のみならずリベラルからもその行き過ぎに対して批判の声が上がるようになっており、見直しが進みつつあります。

川口：フロリダ州の知事で、共和党の大統領候補に立候補したロン・ディサンティスがそうですね。ドイツでも今年の八月、緑の党の家庭相と自民党法相のイニシアチブで、「自己決定法」という法案が閣議決定され、後は国会を通るだけというところまでいっています。ただ、各方面から反対意見が噴出しており、現在、若干修正中だそうですが。

ロン・デサンティス

この法律は、簡単にいえば、自分の性別は自分で如何ようにでも変えられるというもので、役所に行って「私は男だ」とか、「私は女だ」と言えば、法律的に性別を変えられます。その際、医師やカウンセラーの証明なども要らず、しかも毎年、変えてもよい。ドイツ政府のホームページを見ると、「人権と、人格の自由な発展には、性別を自分で決定するという権利が含まれる」と明記されていますから、政府は本気です。LGBのほうは、すでに市民権を得ていますから、今回はLGBTの「T」のトランスジェンダーに重点が置かれたということでしょうか。

福井：LGBTを一つのグループと考えがちですが、必ずしも利害が一致しているとはいえず、LGBTと一括りにしていいのかという問題があります。特にL（レズビアン・女性同性愛）には、G（ゲイ・男性同性愛）B（バイセクシュアル・両性愛）T（トランスジェンダー）と一緒にしてほしくないという傾向が見受けられます。さらに、LGBとTは性質が異なるのではないか。というのもLGBは個人の性的指向であり、その対象に同性を含むということ以外、異性愛と変わらない。極論すれば趣味の問題です。問題は、法的に同性婚を異性婚と同様に認めるか否かなど、制度的取り扱いをどうするかでしょう。

ちなみに、生物学的性（sex）と自らが考える性（gender）が異なると訴えるトランスジェンダーに関しては、その一部は、かつて非異性愛がそうであったように、世界中の専門家が利用している米国精神医学会『精神疾患の診断・統計マニュアル』の現行版でも、「性別違和」（gender dysphoria）として取り上げられています。日本語で「性同一性障害」と訳されている「gender identity disorder」という用語は否定的印象を与えるということで避けられるようになっています。いずれにせよ治療の対象であることに変わりはない。ここでは一般的に使用されている「性同一性障害」を使います。

今アメリカで特に問題になっているのは、思春期の白人女性が、自分は本当は男ではないかと悩む例が急増していることです。

川口：男女の別がはっきりしない思春期にトランスジェンダーの話を聞かされ続けたら「もしかしたら自分も」と思う子供が出てくるのは当然です。

福井：そうなんです。しかも社会的伝播性が高いため、学校のあるクラスで一人がそうだと言い出すと次々に自分もそうだと言うようになる傾向がある。トランスジェンダー教育が誘発する可能性も指摘されています。

性同一性障害は本来、個人的なもので、他人の影響を受けて発生する性質のものではないのに、明らかに社会的影響がみられるというのです。アメリカではもともと、性同一性障害は一万人に一人もいない稀な事象とされてきたのに、二〇一七年の調査によると、高校生の二%がトランスジェンダーと自認するようになったといいます。トランスジェンダー教育は、「教育」とは名ばかりの洗脳なのかもしれません。

川口：そういえば私が中学のとき、クラスに活発な女の子がいて、よく男の子に「オトコオンナ！」とからかわれていました。ただ、その頃は、トランスジェンダーなんて夢にも出てこない時代だったし、その女の子は結構人気があった。だから、「オトコオンナ」はほとんど愛称のような感じでしたが、今は事情が違います。思春期に、自分ではそんなことを思ってもいないのに、「お前、男みたい」などと言われたら、普通の女の子は傷つくし、その反対も同じです。悩んでしまう子がいても不思議ではない。さらにいえば、これはイジメにもつながります。

福井：トランスジェンダー研究の大家マイケル・ベイリー教授（米ノースウェスタン大）とレイ・ブランチャード教授（カナダのトロント大）が、性同一性障害の主なものとして次の三つのタイプを挙げています。

第一に、幼少期に発現するもので、男児や女児が幼いうちから自分は違う性だと自認する。こうしたタイプは男児のほうが女児より多い。一番古くから確認されている類型で、研究も進んでいます。このタイプは、だいたい大人になるまでに性同一性障害が解消します。

第二は、成人あるいは青年期の男性に発現するタイプ。子供のころには性同一性障害の自覚も兆候もなかったのに、性的に成熟してから、女性になった自分を想像して性的に興奮する「自己女性化性愛症」（autogynephilia）に起因してなる。ただし、この性愛症の男性すべてが性同一性障害というわけではありません。結婚して子供がいる場合もあり、本人たちは性愛症由来であることを否定しがちで、トランスジェンダー活動家に多い類型です。ベイリー教授らは、このタイプに関しては「心は女、体は男」という主張は「フィクション」だとしています。

そして、近年急速に増えているのが、いま話した思春期に突発的に発現するROGD（rapid-onset gender dysphoria）と呼ばれる三つ目の類型です。これはメディアや、SNSなどのインターネットの影響で拡大していると指摘されています。

精神医学の泰斗（たいと）ポール・マクヒュー教授（ジョンズ・ホプキンス大学）は、自分の本当の性は生物学的性とは異なると思いこむ性同一性障害は、痩せているのに太っていると思い込む拒食症とどこが違うのかと指摘しています（*The mind has mountains*）。

川口：ドイツでは、クリスティアーネ・ニュスライン＝フォルハルトというノーベル賞医学者が、「生物学的性別は男女の二種類しかない。性別を変えられるというのは願望にすぎず、ホルモン・セラピーの後でもそれは変わらない」と言っています。ただ、性別がいくつあるかという論争は、現在、あまりにもフロントが硬化してしまい、過激で収拾がつかなくなっているともあり、彼女は、「現在、議論されているのは生物的性ではなく、社会的性のことだ」

と、議論をかわしています。いずれにせよ、ドイツ主要メディアは、彼女の発言を大きく取り上げることはありません。

福井：そうでしょうね。マクヒュー教授も学界をリードする大御所でしたが、トランスジェンダーに関する「政治的に正しくない」主張で、今では完全に無視されているような状況です。

一方、トランスジェンダーであることを利用する男もでてきています。運動競技で男性としては二流以下の選手が、自分は女だと主張して出場し、圧勝するのがアメリカで問題になっています。ヨーロッパの大学と違ってアメリカの大学ではスポーツの成績が入学や奨学金に直結するので、女子学生にとっては単なるスポーツを超えた人生を左右する死活問題です。陸上一〇〇メートル走を女子の世界記録より速く走る男子高校生は日本でも何人もいます。身体能力では、埋めがたい男女差があるのです。

川口：欧米では女性議員の数が少ないからといって、緑の党や社民党などは、無理やり女性の政治家の数を同数あるいは多くする方針をとっていますが、それらの党がＬＧＢＴ擁護の最先鋒というのは、おかしくないですか。性は自分で決めるもので、途中で何度変わってもよいということは、男女の固定的な意味はないわけです。だったら、なぜ、男女の数を平等に揃えろと言うんですか？　論理破綻でしょ。皆が気づかない振りをしているように感じます。

福井：たしかに矛盾しています。アメリカの場合は人種問題もそうです。人種なんてものは非科学的概念であって、実際には存在しないと言いながら人種枠を設けている。

川口：緑の党は選挙の比例名簿も女から始まって男女が交互に並ぶのですが、女になったほうが名簿が上になるから、突然、自分を「女」だと言い出した議員がいました（笑）。ここまでくると緑の党も、この議員の行動を正当とみればよいのか、不当と弾劾すべきか、結構迷うでしょうね。

福井：アメリカ企業では出世するのに有利ということなのか、男から女に転換したトランスジェンダー幹部が増えています。

川口：最近は、あたかもトランスジェンダーのほうが偉いような風潮ですから、さもありなんです。

子供の性転換手術でリベラルと保守が共闘

福井：ＬＧＢＴ運動の活動家は、生物学的男女と主観的性が一致し、異性にのみ性的興味があるのが正常であると教育するのはけしからん、と言っていますからね。性転換手術をした後で後悔して元の性に戻そうとする「デトランジション」の問題も深刻です。ブームに乗って生物学的性から、一時の主観的性にトランジション（移行）したはいいものの、いったん手術をすると元に戻したくてもできない。

川口：性転換手術すると、ずっとホルモンを投与しなければならなかったり、痛みが酷かったりで、深刻な慢性体調不良に陥る人も多いと聞きました。

福井：アメリカでは今、トランスジェンダー推進の下、学校でも医療の場でも、子供の意見をそのまま肯定することが正しいとして、反対する親は偏狭と非難される風潮です。信じ難いことに、少女たちが望めば、親の承諾なしに、名前を男性のものに変え、人称代名詞を《she》から《he》に変更するといった社会的移行、大人の女性になることを止める二次性徴抑制ホルモンや男性化するためのテストステロン使用、乳房切除等の外科手術が行われています。

川口：先ほど申しましたが、ドイツでもその方向に進んでおり、一八歳以上なら自分で役所に行ってその旨を届ければＯＫ。一四歳以上は親の承認が必要ですが、それを得られない場合は児童相談所が介入し、子供の意思に沿った対応をします。しかも今後はその対象を一四歳以下にまで広げたいとか。

ただ、小児科の医師や心理学者など医療従事者が猛反対しています。いうまでもないことで、一四歳から一八歳というまだ自己が確立していないような不安定な時期に性についての不安定な情報を与えるのはおかしいし、それが原因で性転換手術をするようになったら取り返しのつかないことになりかねない。おそらく手術に関しては一八歳以下へのゴーサインはないと思いますが、私から見れば、いろいろと常識から外れたことが進められていきます。

福井：でも常識を否定する人は、実はほんの一部です。思春期に実は男性ではないかと悩む女性の大半は、白人中上流家庭で何不自由なく育った娘たちであり、親も保守というよりリベラルで、LGBT運動に理解を示す「進歩的」考えの持ち主が多い。

ただ、普段は物分かりのいいリベラルな親たちも、さすがに自分の子供の問題となると心配です。しかし、トランスジェンダー推進を金科玉条とするリベラル主流派は、そうした親を支援するどころか、子供の自己決定権を奪う「毒親」と非難する。その結果、伝統的家庭をよしとする保守系活動家・団体と子供の将来を心配するリベラルな親がタッグを組んでいる。

ジャーナリストのアビゲイル・シュライアーが『取り返しのつかないダメージ』(*Irreversible damage*)で指摘しているように、親の苦悩と親から引き離され「治療」を受けた本人の後悔は極めて深刻です。

幸いなことに、最近ではトランスジェンダー推進に対する反発も顕在化してきています。イギリスでは、子供を対象とするジェンダー診療の中核を担ってきた、英国民保健サービス（NHS）監督下にある医療機関「タビストック・アンド・ポートマン・トラスト」の「ジェンダー・アイデンティティー・デベロップメント・サービス」（GIDS）が閉鎖されることになりました。BBCによる報道を契機に、子供に対する二次性徴抑制ホルモンの乱用などの「治療」行為が広く知られることとなり、批判が殺到した結果です。子供の性同一性障害は大半が大人になる過程で解消するにもかかわらず、二次性徴抑制ホルモンを使い始めると、逆にほとんどの場合、後戻りが困難になってしまいます。

日本でも、二〇二三年五月一日に、性同一性障害者らでつくる「性別不合当事者の会」や、女性の権利保護を目指す「女性スペースを守る会」など四団体は、LGBT活動家は当事者の代表ではないとして、性自認を法令化する当時審議中だったLGBT法案について反対の立場を強調する会見を開いています（『産経新聞』同日付電子版）。アメリカでも、女性の人権擁護を訴えてきた活動家の多くが、トランスジェンダー推進に異を唱えています。リベラルも一枚岩ではないのです。

川口：そうですよ。以前、LGの人たちと一緒に討論会に出たことがありますが、LとGの人たちは、「性別」に重きを置いているのに、現在の、性別を無視する風潮、たとえば男性用と女性用のトイレを一緒にしろなどというのもそれですが、そういうのは困ると言っていました。要するに、主張がバラバラなのです。

そういえば、トイレについては、私としては別々の何が悪いのかよくわかりません。実は半年ぐらい前、シュトゥットガルトの市役所の男性トイレに、トランスジェンダーのために無料のタンポンが置かれているという話を読んで、信じられなかったので、嫌がる主人に見にいってもらったら、なんと本当の話でした。そもそも、女性のどこの公衆トイレでも、普通は無料のタンポンなんて絶対にありません。

現在、シュトゥットガルトはCDUの市長になっていますが、二〇二二年までの八年間、緑の党が仕切っていましたから、その影響があるのかもしれません。でも、このタンポンを誰かが使うとすれば、体は女で、でも性自認は男で、ちょうど生理のときにシュトゥットガルトの市役所に来て、トイレに行きたくなり、タンポンを取り替えなければならないけれど、それを忘れたという人ですよ。そんな人が一年に何人いるでしょう。一人もいないかもしれない。それなのに税金を使って、無料でタンポンを設置するのは、いったい誰のための政策なのか。バカげています。

福井：役人というのは〝声〟の大きい人に弱い。その結果、ごく少数の人たちの声が行政を動かしてしまう。ＬＧＢＴ活動家も、本当にＬＧＢＴの人たちのことを考えて行動しているのか疑問です。ＬＧＢＴに限らず市民運動家と称する人たちは大概そうですが。

川口：男女平等がいきすぎて、ベルリンでは、教会付きの少年合唱団に娘が入れないことを訴える母親がいたり、市営のプールで女だけ胸を隠さなきゃならないのは不当だとしてパンツだけで泳いで退出を命じられ、それを訴えたら裁判所が本当に不当だと認めたり……。私から見れば、不可解な話が山ほどあります。目的は何なのか。

福井：特に「自己女性化性愛症」に起因すると思われるトランスジェンダーに、世間に対する自己正当化欲求が顕著なことは、アメリカでも指摘されています。

アメリカで一時流行した「回復記憶療法」(recovered-memory therapy) に、少女が男だと自認するようになるＲＯＧＤと呼ばれるトランスジェンダーは似てます。このセラピーを受けて、「幼少の頃に大人、特に父親に虐待されていたことを時間が経ってから突然思い出した」と訴える事例が続出し、多くの父親が刑務所に入ることになったのですが、ほとんどが冤罪だった。セラピーの名の下に、「あなたの記憶は押さえつけられている、思い出してください」とまったくの虚偽を「告白」するよう強制するわけです。不安でいっぱいの思春期の女性にあなたはトランスジェンダーだと吹き込むのと同じパターンです。

実は、このでたらめな回復記憶療法を厳しく批判し、その利用を中止させるのに大きく貢献したのが、トランスジェンダー推進に批判的な前述のマクヒュー教授です。

恐ろしい「被害者」勝ちの世界

川口：ドイツの政治家には、同性のパートナーを持っている人が何人かいて、機会をみては、自分は同性愛者だとカミングアウトしたりします。最近では、緑の党の共同党首の女性の方が、自分は「B」だと公表していました。Bとはバイセクシャルですから、男でも女でも愛せる。でも、そんなこと、別に誰も聞いてもいないし、聞きたくもない。政治家が性的志向などプライベートなことをわざわざ発表するのは、特別な存在でありたいからでしょうか？それとも、単に目立ちたいだけ？
福井：「被害者になったもの勝ち」の世の中なので、被害者のグループに入ったほうが政治的に優位に立てます。ブラッドリー・キャンベル教授（カルフォルニア州立大LA校）らが指摘する「被害者カルチャー」の蔓延です（Cambell & Manning, *The rise of victimhood culture*）。実は、アメリカで自分がトランスジェンダーと考える白人少女が急激に増えたのは、「被害者」であるトランスジェンダーとなることで「加害者」である白人という立場から抜け出したいという願望が根底にあるのではとも指摘されています。

川口：「被害者だ」と訴えれば何でも通ってしまう世界になっているのではないかと、恐怖感を感じるレポートを読みました。萩原武彦さんという方が月刊『Ｈａｎａｄａ』二〇二三年七月号に寄稿していた「英国 不同意性交罪という悪夢」ですが、萩原さんは野村證券で駐在員としてロンドンにいたときに、同居していた妻から「レイプ」されたと被害届を出され、起訴され一一年の実刑判決を受けたというのです。イギリスには「不同意性交罪」といって、夫婦でも強姦罪で訴えられます。

この方は模範囚で外国人であったことから四年八カ月の服役で済んだのですが、日本に帰国すると今度は成田空港で警察に逮捕され、現在は東京拘置所にいるとか。怖い話です。実は日本でも、「強制性交罪」を「不同意性交罪」に変更する刑法の改正案が閣議決定されましたが、夫婦の場合は特に、本当に強制だったか、同意だったかを第三者が判定することは難しいと思います。ですから、自分は被害者だと言ったほうが自ずと強くなり、今後、この萩原さんと同様のケースが増える可能性があるでしょう。職場で女性に声をかければセクハラ、家で妻とベッドに入れば不同意性交罪では、男性も生きた心地がしないのでは？

福井：ただし、ＬＧＢＴに関しては、米国の圧力の下、法案が国会に提出され可決されたため、メディア上では盛り上がりましたが、大多数の日本人とって、そもそも関心がない問題です。

政権主導のＬＧＢＴ法案を保守政党であるはずの自民党が大した抵抗もなくあっさり通したため、保守知識人の怒りは大きく、特に推進者とされる稲田朋美議員は厳しい非難にさらされました。しかし、どうでもいい法案を通してガス抜きしておけば、もっと酷い法案の成立阻止することができ、アメリカの圧力もかわせるという深謀遠慮だったと考えることはできないでしょうか。稲田さんが本当にそう考えていたかどうかにかかわらず、結果的にはそうなりました。日本では一回通った法律を改正するのが難しいうえ、原案より骨抜きにされた提出法案をさらに後退させる修正が加えられた法案が通りました。集団的自衛権をめぐる騒ぎのときと同様、日本では法案が成立したら運動が急速に萎むのが常です。ＬＧＢＴもそうなるように思えます。

川口：じゃあ日本はそんなに心配することはありませんか？

福井：日本は「カワイイ文化」が正統ですから(笑)。男女ともに「カワイイ」を肯定しているし、女の子もかわいくなることに一生懸命です。生物として実に自然です。なんだかんだいっても、日本人は常識的です。ジェンダー論に限らず、大学の文系のセンセイのいうことなど、基本的に誰も相手にしていない。実に素晴らしい。

それに、もともと日本は同性愛に対して差別意識が薄い。それに対して、キリスト教社会では宗教的罪とされてきたため差別が激しかった。前述の米国精神医学会のマニュアルでも、かつて同性愛は精神疾患とされ、マニュアルから完全に取り除かれたのは一九八〇年代に入ってからです。

川口：ドイツ帝国ができたのは一八七一年ですが、それ以来、刑法一七五条で、同性愛は禁じられていました。戦後はこの法律自体はだんだん有名無実になっていきましたが、それでも同性愛がつい最近まで社会のタブーであったことは事実です。なお、この刑法一七五条が公式に削除されたのは一九九四年のことです。

福井：同性愛がバレて社会的地位を失うことが欧米ではよくありました。

しかしLGBTもその他の「弱者」の権利尊重や優遇は先進国だと思っている国だけの現象で、中国やイスラム圏などではまったく通じない議論です。議論しているのは日本と北米と西ヨーロッパだけ。世界全体から見たら少数派です。

川口：人口だと一〇％強ですか。世界八〇億人に対して、ＥＵが五億人、日本とアメリカで四・五億人。経済規模でもシェアは半分にも満たない。

福井：ロシア制裁に賛成している国々とそうでない国々の色分けと一緒ですね。日本人は世界全体が制裁しているように思っていますが、制裁に参加しているのは、ほぼ日欧米だけといっていい。ＬＧＢＴ推進国とほぼ重なります。制裁には中国もインドも参加していません。

中国の脅威の実態は何か

川口：ただ一方で、その中国が力を得てきていることが、日本にとっては最大の懸念です。日本政府がＥＵの尻馬に乗って、ＬＧＢＴ擁護に夢中になったり、やれＣＯ２削減だとか、電気自動車に乗れなどと言っているうちに、中国は着々と台湾侵攻を用意しているかもしれない。そうなると、日本侵攻も現実味を帯びてくるでしょう。でも、電気自動車では戦えませんよ。

福井：だからこそ、アメリカには不必要に中国を刺激しないでいただきたい。共産党の一党独裁を批判する声が大きいですが、共産党が崩壊した後にもっと悪い体制になる可能性もある。そのときには、蔣介石の国民党を日中戦争により弱体化させた日本が、共産党体制をつくった元凶とポスト共産党の中国から批判されるかもしれない。

ですから、日本としては中国の体制が崩壊して国内が大混乱となり、怒濤（どとう）のように難民が押し寄せてくる状況よりも、今の体制の中国のほうがまだましです。

川口：そういえばジャーナリストの高山正之さんも、「中国の人民を国内に留めておいてくれた毛沢東は偉大だった」と言っています（笑）。

福井：サウジの圧政に対して日本人が無関心なように、中国国内の人権弾圧に対しても口を出さないことです。普遍であるべき人権や良心の使い分けほど、見苦しいものはありません。

ヨーロッパも中国の人権弾圧にさほど関心を示さないのは距離的に遠いからで、自分たちとは関係がないと思っているからでしょう。

川口：そういえばこの期に及んでも、ドイツ企業による中国投資はそれほど減りません。先に述べましたが、ドイツでは自滅的なエネルギー政策のせいで、エネルギー価格が高騰していますから、愛想（あいそ）を尽かした企業が安いエネルギー費を求めて国外へ脱出中で、中国に出ていく企業も、減ったとはいえ、まだ後を絶ちません。

しかも出て行くのは、これまでドイツ経済を支えてきた優良企業が多い。たとえば化学業界世界最大手のBASFは、一〇〇億ユーロを投じて中国広東省に巨大な工場を建てていて、第一工場はすでに二〇二二年の九月に操業を開始しています。自動車メーカーも皆、中国へ進出していますし、いまさら引くに引けないという感じでしょうか。

福井：ただ中国経済はもう頭打ちですよ。購買力平価でみた一人当たりの所得水準が、まだ日本の半分以下の段階で、人口が日本以上のスピードで少子高齢化しており、前途多難です。しかも、地域による経済水準の格差が甚だしく、沿岸部は発展してきたものの、内陸はまだまだ貧しい。こうした状況で、どうやって貧しい地域の人々や、発展した地域でも高齢者の生活を守っていくのか。ただ中国通にいわせると問題ないと言いますね。中国人は生活できなくなった人が野垂れ死にしても気にしないし、政府にも期待していないから。

川口：そもそも社会保障が整備されていないから、少子高齢化の影響が日本のように問題化しないということですか。

福井：中国の一番の強みは人口とされてきました。とはいえ、生産年齢人口が減るので、これまでのように安価な労働力を提供する世界の工場としての地位は低下していきます。しかも現時点の経済水準ですでに高成長が期待できないとなると、消費市場としての魅力も思っていたほど大きくない。

一方、直近の公式推計によれば、日本の人口は今世紀半ばに一億人を切り、二〇七〇年には八〇〇〇万人程度になるとされます。確実に進行する人口減少を問題視する声が、政府でもメディアでも大勢となっていますが、ヨーロッパの現状を見れば、一番多いドイツが八〇〇〇万人程度で、英仏伊は六〇〇〇万人台です。さらに遡れば、日本は江戸時代には三〇〇〇万人で、当時のフランスと同程度だったのに、今では日本はフランスの倍近い。昭和初期、六〇〇〇万人程度だった日本では、人口が過剰であるというのが共通認識でした。

そもそも、生産性を上げて一人ひとりがハッピーになれば、人口が減っても問題はない。国土の大半が山である日本の平地面積の人口密度は、先進国では突出しています。ヨーロッパ一の高人口密度国であるオランダの数倍もある。だから、江戸時代のように三〇〇〇万人くらいでちょうどいいということもできます。ですが、とりあえず目標は今の半分、六〇〇〇万人といったところでしょうか。

ただ住む場所を集約する必要はあるでしょう。高度成長を経て経済構造が激変し、その後も変化は絶えないのだから、地域間人口移動は経済的必然であり、過疎化を押しとどめるのは望ましくない。政府が行うべきは、所詮パフォーマンスにすぎない地域活性化ではなく、劇的に進んだエネルギー革命による炭鉱閉鎖のときと同じように、過疎化という必然に伴う痛みを和らげる政策、たとえば、移った先での住宅の確保などです。

川口：ちょっと待ってください。では、人は海岸沿いなど、平地でインフラの整えやすい生活効率の良い場所に集まって住むということですか？　後の部分は過疎どころか、秘境に戻す？　農業や林業はどうなるんですか？

福井：中山間地といわれるところの多くは、現在の住民構成をみれば、遅かれ早かれ、ほぼ無人の地となっていくでしょう。農業に適した地域では、生産性向上に必須の集約化と人口減少はコインの表と裏です。人口減少という意味での過疎化は必ずしも地域の衰退を意味しません。たとえば、北海道で農業が盛んな地域は、人口密度でみれば過疎地です。

安価な輸入材との競争があるので、ビジネスとしての林業には限界があります。もちろん、林業が衰退しても、山林保護が必要であることはいうまでもありません。林業振興ではなく、治山治水の観点から税金を投入することが経済的にも正当化が可能です。

人口が減れば、需要が減るので食料自給率を上げやすくなるものの、農産物の自給自足は難しい。ただし、幸いなことに、日本の主な食料輸入先は、アメリカ、カナダ、オーストラリアなど、日本と政治的に対立する可能性がほとんどないという意味で、友好国が大半です。

しかも、それらの国々と日本を結ぶ海上輸送路は、中国によって妨害されない位置にある。

川口：私は、食糧とエネルギーは、なるべく多く自給できる体制をつくっておくべきだと思っています。発電に関していえば、現在、鋭意努力中の六ヶ所村の「原子燃料サイクル」プロジェクトが軌道に乗れば、準国産のエネルギーになりますから、これは一日も早く実現させるべきです。そもそも、アメリカやオーストラリアが友好国というのはいま現在の話で、ずっと友好国であると考えるのは脇が甘すぎます。ドイツだって、ロシアは冷戦中もガスを送ってくれていたから絶対に信頼できると思って、石油も石炭も、それどころか核燃料棒まで買っていたのに、それが綺麗になくなるまでに一年もかかりませんでした。それに、日本は今のところ、中国にもかなり依存しています。

勘違い⁉　中国は「大国」ではない

福井：カナダやオーストラリアはともかく、日本の食料・エネルギー輸入を妨げるほどアメリカと政治的に対立する状況にならないようにすることが、日本の国家戦略の根幹であり、最優先事項です。それに失敗したら、食料・エネルギー以前に、日本はゲームセットです。

一方、中国との貿易がなくなってもそんなに日本は困りません。中国からしか買えないものがほとんどないからです。せいぜいレアアースくらいでしょうか。工業製品というのはどこでもつくれるので競争が働きます。ところが、エネルギーや食料は自然条件に左右されるので輸出国が限られるうえ、ないと困るので価格が上がっても買わざるをえません。そういう点からもエネルギー・食料輸出国と仲良くしておく必要があるのです。一方、中国でつくっているものは、多少割高になるにしても、自国あるいは中国以外の供給者との代替が可能です。

それからロシアと違って中国は資源大国ではありません。エネルギーを自給できないから長期戦を戦うことができない。英米の戦い方というのは昔から海上封鎖、要するに兵糧攻めです。アメリカと決定的に対立した場合、これに中国は耐えなければなりませんが、そのときになってロシアが資源を回してくるかどうかはわからない。ロシアから足元を見られることになる。しかも、中国は食料の輸入国でもある。アメリカやロシアに対する中国の戦略的劣勢は、かつての日本がそうであったように、如何ともしがたい。

そもそも、日本の高度成長は、中国との貿易がほとんどなかった時代に実現したのです。

今日、大国といえるのは人口が多く、核保有国であることに加え、エネルギーと食料を自給できる国です。両方とも自給できていない中国は、その意味で、アメリカやロシアのような本物の大国とはいえません。

ただ中国はメンツのためなら、何でもする国なので、あまりコケにするようなことはしないほうがいい。

川口：オーストラリアも核は持っていないけど、ウランはある。

福井：しかし、ウランは輸出用で原発はありません。さらに、石炭産出大国でもあります。エネルギー・食料自給国で、しかも原発は一切造らない。アメリカにすがるしかない日本やドイツとは違う。その点、ロシアはすべての条件を備えた大国です。アメリカはそれが気に食わない。

プーチンはロシアの愛国主義者でしょう。第二次大戦までの常識というか、伝統的国際秩序観の持ち主で、世界には複数の大国が存在し、それぞれが「勢力圏」を維持しながら、力の均衡によって世界秩序が保たれるべきと考えている古典的リアリストです。形式的には独立国だとしても、ある大国の勢力圏に含まれる地域の問題は、基本的にその大国が責任をもって対処すべきだと考えている。プーチンにとって勢力圏とみなすウクライナまでアメリカが手を出したことは許せなかった。それはアメリカにとってキューバにミサイルを置こうとしたソ連を許せなかったことと一緒です。

ウクライナ東部のドンバス地方は、帝政ロシア時代からロシア人とウクライナ人が混じっていた地域でどちらの国ともいえないようなところです。だからプーチンは侵攻直前まで一貫してその地域の独立や併合に反対し、ウクライナ主権下での高度な自治を認めるミンスク合意の順守を要求していました。しかしウクライナ側がそれを守らずロシア系住民を迫害したのです。これを見過ごせば、ロシアは張子の虎だとしてさらに軽んじられると考え、主観的にはやむをえず侵攻したということでしょう。

アメリカファーストのトランプも対外介入に慎重で、伝統的国際秩序観に近い考え方の持ち主だから、トランプなら戦争は起きなかった可能性が高い。

川口：どの国も長期戦略を立てているのに日本にはそれがない。

福井：日本は長期戦略を立てられない国のようにみえますが、実はのらりくらりとやりすごしていること自体が戦略だともいえます（笑）。

川口：のらりくらりで日本も核武装まで辿り着けばいいのだけれど、核拡散防止条約に阻まれています。これは、いわばアメリカが日本とドイツに核を持たせないために結んだ条約ですから、撤廃は至難の業でしょうね。とはいえ、中国、ロシア、北朝鮮と、核保有国に囲まれているのに、まるでそれを考えずに暮らせる国民というのは、実に不思議です。

福井：核は持つまでが大変ですが持ったら勝ちです。北朝鮮のような貧しい小国でも核を持っているため、アメリカと対等に交渉ができるわけです。そういう意味でも原発を維持し利用し続けることは、いざとなればすぐに核武装できるというシグナルとして、国防の観点からは大きなメリットがあります。日本の原発推進は核武装のためと考えている他国の政府関係者や識者は珍しくありません。

川口：先ほど述べた「原子燃料サイクル」プロジェクトが、そういう意味ではとりわけ重要です。原発の核燃料の燃えさしから、原子爆弾の材料となりうるウランやプルトニウムを取り出し、また核燃料を作るのですから、こんな物騒な技術は本来なら核保有国にしか認められていません。ところが、アメリカが例外的に認めているため、日本で行われているのです。中国は、日本がこっそり原爆をつくってしまうのではないかと、ものすごく警戒していると言います。いうなれば、これぞ「抑止力」です。

なのに、日本には抑止力の理屈を絶対に理解しない人たちがいます。丸腰でいれば攻められる可能性は高まるのに、それを無視して、核を持つのは戦争がしたいからだと主張する困った人たち。

福井：実は日本はすでに核を持っているのではないかと思われていても不思議ではありません。実際、米NBCは、半年で核兵器をつくれるという意味で、日本は「地下室の爆弾」(bomb in the basement）を持っていると中国が考え、警戒していると報道しています（二〇一四年三月一一日付電子版）。いずれにせよ、戦前の日本が撤廃を目指し実現した治外法権と関税自主権に関する不平等条約改正同様、令和の日本には核拡散防止条約という二〇世紀最大の不平等条約改正を目指してほしいものです。核武装するかどうかは日本の国民が決めることであり、不平等条約で縛られる性格のものではないはずです。

国民の幸福度が世界一のスイスは唯我独尊で狡い

福井：私はどこの国と比べても、少なくとも私にとって日本はいい国だと思っているので、特定の外国を理想化することには懐疑的ですが、狡さという点ではスイスに学ぶべき点は多い（笑）。ヨーロッパの人はスイスが嫌いでしょう。

川口：嫌いですね（笑）。ドイツ人の皮肉として有名なのは、「スイスは素晴らしい。スイス人さえいなければもっと素晴らしい」とか、「我々の（悪い）性格をさらに徹底すれば、スイス人ができ上がるだろう」などという、ドイツ人特有の自虐ギャグもあります。

福井：実際のスイスは、日本人が抱いている理想化された「永世中立国」のイメージとはぜんぜん違います。彼らは外国人を利用するだけ利用する。

川口：スイスの銀行は高い金融サービスと秘匿性を提供しているため、海外の有力者や、独裁者などの多くの資金が集まっています。最近は、国際的な圧力で少し透明になってきたとはいえ、それでも、秘匿を守るための法律もあり、まだまだ守秘義務は徹底しています。ただそれをいいことに、預金者がいなくなると、預金を自分のものにしているともいわれています。特に、第二次大戦前にユダヤ人が預けた莫大なお金が、そういう運命を辿ったと。

福井：本当のところはわかりませんが、少なくともそう思われていますね。

川口：スイスというのは十六世紀にプロテスタントの一派であるカルヴァン派がジュネーブを支配し、それがとにかく凄まじい恐怖政治だったといいます。カルヴァン派の教義は「予定説」と呼ばれ、すべては神によって定められている。つまり、天国に行く人間は、「予定通り」難なく天国に行けるのです。

ただ、そう言われると人々は不安になり、自分の救済を確信するため、行動にプレッシャーをかけるようになります。そうするうちに、食欲、性欲、物欲など快感に結びつく行動すべてにブレーキがかかり、それは罪となり、罪を犯さないための監視が始まり、それがさらにエスカレートして、密告の蔓延る凄まじい監視政治となっていったといいます。私の思うに、この根底にあるのが性悪説で、日本人は性善説ですから正反対です。

カルヴァン派の恐怖政治は長くは続きませんでしたが、勤勉と禁欲の習慣は人々の心に刻まれ、その結果、スイス人は財をなしたわけですが、今も面倒な規則が多い。ゴミ出しやら、車の駐車やら、いろいろなことが厳格に決められ、それを皆が忠実に守る。そういえば、アルプスの峰に囲まれた壮大な風景も、観光資源として国が高額な補助金を出して維持しています。つまり、スイスというのは、私たちが想像する「アルプスの少女ハイジ」の舞台のような長閑な国とは、だいぶ違うのです——というようなことを、二〇一六年、スイスについての本を上梓したときに書きました(『世界一豊かなスイスとそっくりな国ニッポン』講談社+α新書)。

福井：世界でもっとも農業補助金が多い国の一つがスイスです。スイスの美しく整えられた田園風景は、農業のためではなく観光用です。日本人も田園風景が心のふるさとだと考えるのであれば、ほとんど兼業でやっているだけの農家に生産活動としてではなく、文化財保護の委託業務、あるいは自治体職員として採用し公務としてやってもらうことを真剣に検討するべきでしょう。

川口：でも、日本はスイスみたいに寒くて山ばかりで農業に向いていない国とは違います。温暖で、江戸時代から開墾し、治水をおこなってきた肥沃な農地があるのですから、もっとちゃんと農業をした方がいいと思います。高級果実よりも、まずは国民の食べるお米を作る。夏の間に羊を飼うしかすることがないスイスとは違って、若い人に参画してもらって、機械化を進め、効率的な、究極の近代的農業を営むっていうのはどうですか。

ただ、悔しいかな、山ばかりでも、今やスイスはお金持ちですね。一人当たりのGDPはスイスが世界第二位で、日本が二六位（IMF－World Economic Outlook Databases）。ちなみに二六位というのは、財政破綻国フランスよりも低く、それどころか、その混沌さのあまり〝白いインド〟と陰口を叩かれているベルギーよりもさらに低い。なんでこうなるのですか！

福井：実はGDPを用いた豊かさの国際比較は、それほど簡単なものではありません。市場為替レートを用いるか購買力平価を用いるかでも違いますし、そもそもGDPは社会の豊かさは測る指標としては問題が多い。たとえば、国内治安維持コストはGDPに加えられています。したがって、コストをかけずに秩序立った社会を維持している日本に比べ、他国のGDPは相対的にかさ上げされるわけです。

各国とも社会に大きな変化が生じたとされるコロナ禍より前の治安状況を、国連が公表しているデータから計算してみました。二〇一八年の人口当たり強盗件数は、スイスが日本の一四倍、ドイツが三一倍、アメリカは六一倍。二〇一九年の人口当たり受刑者数は、スイスとドイツが日本の二倍、アメリカが一六倍です。シンガポールも日本と同様に犯罪は少ないのですが、人口当たりの受刑者数は日本の五倍です。もちろん、刑務所維持コストはGDPにカウントされます。コストをかけずに安心して暮らせるという日本のすばらしさはGDPに反映されるどころか、逆にマイナス要因になるのです。

やはりGDPに加えられている医療費にも同じようなことがいえます。OECDが公表しているデータでみると、日本は世界で最も高齢化が進んでいるのに、二〇二二年の医療費はGDPの一一・五%で、ヨーロッパ諸国と同程度、比較的高齢者が少ないアメリカは一六・六%で断トツの世界第一位です。しかし、平均寿命をはじめ、各種健康指標で日本が最高水準であることは世界的にも認められています。一方、アメリカのコロナ前の平均寿命は日本より五〜六年短く、健康指標も芳しくない。比較的コストをかけずに国民が健康に暮らしているという日本の良さもＧＤＰに反映されません。

また、社会保障支出を除くと、日本の財政規模は欧州諸国に比べると小さい。ＧＤＰの構成要素である政府サービスの価値はかかった費用と同額と定義（！）されているので、この点でも日本のＧＤＰは相対的に小さくなります。

おおざっぱにいって、社会の豊かさを測る指標としてのＧＤＰは上下二〜三割の誤差があると思ったほうがいいでしょう。

いずれにせよ、ほとんど資源がないなか、スイス人が、その勤勉さで豊かで効率的な社会をつくったことは賞賛に値します。

川口：日本人だって、勤勉ですが、確かにスイス人も勤勉ですね。直接民主制だから、しょっちゅう選挙に駆り出されるけれど、皆、文句も言わずにせっせと投票所に通うし、財政規律を重んじ、ヨーロッパの他の国と比べると、失業率は低く、収入も多い。公共の場所は清潔で、整然としています。男子国民皆兵制で、女子は任意ですが、とにかく強い軍隊を維持しています。丸腰なら攻撃されないなどという日本人のお花畑の発想とはまるで無縁。永世中立国スイスの守りは極めて堅固、要するに、武装中立国です。

スイスの国防省の正式名は、「国防、民間防衛、スポーツのための省」。危機感を保つための学校教育をちゃんとやっており、ひとたび有事が起きれば国民は戦う覚悟を持っています。「スイスには軍隊はない。スイス自体が軍隊だ」と言われるゆえんです。日本では「有事」なんて死語とまでは言いませんが、「寝たきり語」です。

スイス人からすれば、中国・ロシア・北朝鮮の核の危険にさらされている日本人が、シェルターも持たずに、国防もエネルギー調達も他国に全面的に依存して暮らしていることを知れば、腰を抜かします。とにかく、軍国主義と民主主義を、ここまで上手にミックスしたスイスの手腕は、日本も見習うべきでしょう。

スイス軍。予備役21万人を誇る

福井：ヨーロッパで多くの国が徴兵制を止めているなかで、スイスは維持しています。スウェーデンは二〇一〇年に男子だけの徴兵制を廃止しましたが、二〇一七年に男女平等の徴兵制を再導入しました。

スイスは国際社会においてフリーハンドを維持することに努めています。国連にも長年入らなかったし、EUには今も入っていません。永世中立国だから当然ですが、ロシアへの制裁もしない。自分たちの独立を守るためには、孤立を恐れない。

川口：教育もしっかりしています。スイスは日本の九州程度の面積しかありませんが、フランス語圏、ドイツ語圏、イタリア語圏、ロマンシュ語圏など四つも民族言語があり民族が混在しているため、放っておくとバラバラになる可能性がある。だから愛国心を育てるための教育には熱心ですし、スポーツは日本の戦前と同じく、軍事教練を兼ねています。

福井：ですからスイスでは中央政府の権限を弱くして、同質性の高い住民からなる地方政府の権限を強くしている。大事なことは国民投票で決め、国民受けしない法案は通せません。英仏独のような中央の政治エリートの暴走を許さない体制となっている。

川口：政治への関心が高い国民です。

福井：たぶんスイス人は嫌われていることを恐れていないのでしょう。健全なエゴイストというのか、他国の評判を気にしていない。

川口：好かれていると思ってるんじゃないですか、観光大国ですから（笑）。

福井：だとしたらもっとすごい（笑）。

川口：この間、脱原発の国民投票が行われたのですが、否決されました。

福井：労働者としてやってきたイスラム教徒が増えると、イスラム化を防ぐため「ミナレット」と呼ばれるイスラム教寺院の尖塔の建設も国民投票で禁止しました。国民が嫌なものは嫌だといえる健全な社会です。

川口：移民も多く、住民の三割くらいが外国人。お給料がいいのか、私の買い被りか、ドイツに比べて外国人労働者が満足そうな顔つきに見えます。

福井：ただ他のヨーロッパ諸国に比べて国籍は与えないようにしており、スイス生まれであっても、多くが外国籍のままです。外国人労働者はあくまでゲスト、ドイツ語でいう「ガストアルバイター」（Gastarbeiter）ということでしょう。

内陸国であるスイスは当然ながら陸軍国です。装備にカネがかかる代わりに兵員は少なくてすむ海・空軍と異なり、陸戦は要するに陣取り合戦なので、多くの兵士が必要です。だから、欧州諸国はだいたい徴兵制だったのに対し、海軍国のイギリスでは陸軍の規模は小さく、戦時以外は志願制でした。イギリスは基本的に本土決戦を想定しておらず、そうなったら終わりと考え、海軍力で本土に敵が来る前に撃退するという戦略です。イギリス同様、海に囲まれた日本もそうあるべきですが、専守防衛という空虚な建前を取っているため、陸上自衛隊は本土で戦う前提の体制となっています。本当にそうなったら国民は悲惨な目に合うでしょう。実際には、自衛隊も含め誰も本土で戦うことなど考えていないのでしょうが。

それにしても、自国のあり方への自負と独立心、他国から悪口を言われても平然としている傲慢さはあっぱれというか、すがすがしい。一方、他国もその中立性への信頼から、公平な第三者としてスイスを評価しています。日本人がスイスから学ぶとしたら、一般に流布した平和国家のイメージに惑わされることなく、その唯我独尊で狡いところでしょう。

国民と国家経済を守るハンガリーの覚悟

川口：スイスを見習えと聞いて私もそうだと思いますが、もう一国挙げるとすればハンガリーです。エネルギーに関しては、フランスの原発政策も手本にできるし。

日本が自分の国益をはっきり言えないのは軍事力がないせいにしますが、軍事力がなくても、ハンガリーのオルバン首相は言いたいことをはっきり言っています。そしてその際に必ず、自分の義務は国民と国家経済を守ることだとはっきりと言います。EU諸国が一斉にロシアに制裁したときも、ロシアガスの制裁は、ハンガリーの産業の壊滅を意味するから、できないと堂々と発言している。これについて、ハンガリーはEUの足並みを乱すと文句を言う国もあったけれど、でも、この理由は皆、認めざるをえないでしょう。日本の政治家もいざというときには、自分には国民を守る義務があると言ってほしい。もし、それにアメリカが仕返しをするようなことがあれば、さすがの日本人も少しは考えるでしょう。

福井：ハンガリーほど西ヨーロッパのエリートに嫌われている国はありませんね（笑）。日本人は外国人に褒められると喜びますが、本気でそう思っているなら、ただの間抜けです。褒められるというのは舐められているのと紙一重というか、同じことだと思ったほうがいい。

川口：ドイツ人も似たところがありますね。自画自賛もすごい。日本人は自画自賛をあまりしませんが、ドイツ人は褒められることも好きだし、自画自賛も好き。

福井：ハンガリーは独裁国家だと思われているでしょう。そしてＬＧＢＴにも反対しているけしからん国だと。

川口：ただ、ハンガリーの場合、同性愛カップルはパートナー契約を結べますから、禁止されているわけでも何でもない。パートナー契約は結婚とほぼ同じですから、他の国の状況とほとんど変わりません。ＥＵ委員会がハンガリーを批判する理由は、一八歳以下の人も見るテレビや雑誌などでは、同性愛のシーンや性転換に関する情報を流してはいけないという法案をオルバン首相が通したからですが、彼に言わせれば青少年を守るためにしたことです。

福井：一方、子供のうちから同性愛やトランスジェンダーに対する肯定的な考えを育てていかなければならないといのが欧米の風潮ですからね。

川口：二〇二一年のサッカーの欧州選手権で、試合会場となったミュンヘンのアリアンツ・アレーナを、性の多様性を象徴するレインボーカラーに点灯することを、ミュンヘン市が欧州サッカー連盟（UEFA）に要請したことがありました。というのも、その夜、ハンガリーとの試合だったので、LGBT抑圧に対する抗議という名の、私に言わせれば嫌がらせです。ただ、UEFAは、スポーツに政治を持ち込んではいけないという理由でミュンヘン市の提案を拒否しました。すると、フランクフルトとケルンのチームが、自分たちのスタジアムをレインボーにライトアップして、ミュンヘンの代わりに抗議の意を表明したのです。それにしても、ハンガリーのサッカー選手が別にLGBTに反対しているわけでもないし、曲がりなりにも遠征してきたお客さんですよ。お客に対してこういう嫌がらせをするという発想が、私にはまったくわかりません。いずれにしても、ドイツやEU委員会のハンガリー叩きは常軌を逸していますが、また、それを受けるハンガリーもかなりしぶとい。

日本への楽観と悲観

福井：ハンガリーは小国だから許されているという面もあります。日本は経済力もあって中途半端に大きな国であり、アメリカとの大戦争を戦い抜いた国でもあるから、いざとなったらまた向かってくるのではないかと疑われている分、日本人が思っている以上に欧米エリートは日本を警戒しているので、ハンガリーのような自主性を許さない。

ただし、外圧に右往左往しているように見える日本も、ウクライナ戦争をめぐり、アメリカに対して面従腹背（めんじゅうふくはい）で臨み、ロシア制裁参加は名ばかりで、アメリカに要請し例外としてロシアからのエネルギー輸入を認めさせるなど、制裁を有名無実化しているとする記事が、二〇二三年四月二日付の『ウォール・ストリート・ジャーナル』に出ていました。実際、日本はヨーロッパ諸国と違い、エネルギーをめぐっては、サハリン権益を維持するなど、ロシアとの関係を継続しています。確かに、アメリカ主導の結束を崩していると解釈することも可能です。

欧米エリートからナショナリストとして警戒されていた安倍さんが首相だったら、アメリ

広島サミット。ゼレンスキーと岸田首相
出典：外務省ホームページ
（httpswww.g7japan-photo.go.jp）

カからもっと叩かれていたかもしれませんが、主義主張がはっきりせず存在感のない岸田さんはさらりとそれをやってしまった。アメリカの圧力があったにしても、『安保三文書』にしても、防衛費増額にしても、安倍さんが在任中にできなかったことです。

五月にサミットを広島で開催したのも、原爆を落としたアメリカに対する嫌がらせだと海外では考えている人が多いでしょう。日本はアメリカを絶対に許さないぞという脅しではないかと。そのように岸田さんが思っているかどうかは別です。むしろ、岸田さんはそんなことを思っていないからこそ、堂々とアメリカが嫌がることを要請し、実現することができたのかもしれません。

最終的に敗れたとはいえ先人が欧米列強に伍して戦った歴史が、日本の政治家は一見間抜けに見えるけれど、実は深慮遠謀があるのではないかと、アメリカのような友好国も中国のような潜在的敵国もともに不安にさせ、日本に対する抑止力となっているわけです。

川口：そうだと本当にいいのですが（笑）。

福井さんのお話は、初めて耳にするようなことも多く、とても有意義でした。ただ、海外の惨状に比べれば日本はまだマシだというご意見は、そうだと思う一方、福井さんお得意のアイロニーにも聞こえてしまって……。私はやっぱり、「日本人よ、このままではダメだ!」と、非常ベルを打ち鳴らす係に徹したいと思います。いろいろな意見があったほうが良いですしね!

どうもありがとうございました。

おわりに

一九九〇年一〇月三日、東西ドイツが統一。世の中は急速に動いていた。

ベルリンの壁が落ちたのは、前年の八九年一一月九日。すでに衰えていたソ連の力は、前庭ともいえる東欧の民主化が次々に進むなかでさらに弱まり、八九年には泥沼となっていたアフガニスタンから全軍撤退。まもなくアンゴラからも手を引く。ベルリンの壁崩壊の影の立役者であったと思われるゴルバチョフ書記長が、混乱極まるソ連で呻吟(しんぎん)していたのも、まさにこの頃だった。

一方、第三世界といわれた場所でも、地崩れのような変化が起こっていた。一九九〇年の二月には、南アフリカ共和国の黒人指導者マンデラが釈放され、三月にはナミビアが独立、五月には南北イエメンが統合。全世界が突然、平和を渇望し、理性的になったかのようにみえた。

そしてついに一九九一年一二月、ゴルバチョフの辞任により、末期症状を呈していたソ連が静かに崩壊。西側は、ようやく冷戦に終止符が打たれたとして、〝民主主義の勝利〟に酔いしれた。これで世界には念願の平和が訪れるはずだった。

ところが現実はどうであったか。アフガニスタンが再び戦場となるまでわずか一〇年。同国は今も麻の如く乱れており、アンゴラは無法地帯のままで、イエメンでは史上最悪といわれる人道危機が進行している。さらに、ウクライナやイスラエルといった第三世界とはいえない場所でも、悲惨な戦闘が勃発。それどころか今や、自由に動き回れるのは旅行者だけではないため、難民やら無差別テロまで警戒しなければならなくなった。三〇年前の希望的観測はことごとく外れたのだ。

戦後、日本人は国防を忘れた。一方のドイツ人も、長いあいだ冷戦の最前線に暮らしながら、平和主義を貫いた。日本の自衛隊やドイツ連邦軍に対する国民の感情は、とてもよく似ている。軍隊は必要悪であり、災害救助に駆けつければ褒められるが、武器を取った途端に白い目で見られる。米軍に軍事費を上げるよういくらせっつかれても、政府がのらりくらりとかわし続けていたところまでそっくりだった。

特にメルケル前首相が軍の解体に熱心で、冷戦後、急速にフェードアウトしていた男子の徴兵制も、二〇一一年には完全に停止。以後、ドイツでは二〇二三年まで、軍隊とはまるで縁の薄そうな女性三人が、次々と国防相の座に就いた。当時から、戦車も戦闘機も大小火器も、老朽、あるいは整備不良で機能しないと指摘する声が上がっていたが、気にする者はいなかった。軍事費は少なければ少ないほどよいというのが、ドイツの風潮だったのだ。

ところが、ロシアのウクライナ侵攻以来一年余、さすがのドイツ政府もこのままでは拙い(まず)と気がついたらしく、二〇二三年一月、国防相が一二年ぶりに男性に替わった。「徴兵経験のある国防相！」の登場である。今ではボリス・ピストリウス国防相はドイツで一番人気の政治家だ。

そのピストリウスが一一月はじめ、「ドイツはしっかりと戦争のできる（kriegstüchtig）国でなければならない」と言い出して大騒ぎになった。これまで「戦争」などという言葉は、遠くから聞こえてくる分にはいいが、ドイツ人が関わるという意味ではほぼ禁句だったのだ。ところが、彼はさらに、「戦争をしないためにこそ、軍備を充実させなければならない」と、能天気な国民に向かって抑止力のイロハまで説き始めた。それどころか、そのアピールに呼応するように、ショルツ首相がすかさず軍事費の増額を約束。これまでにない動きとなっている。ドイツは七〇年の平安の眠りから覚めるかもしれない。

ピストリウス国防相の言う、「攻め込まれないための強力な軍備」が、核兵器であるのか、それとももっと先鋭な新兵器であるのか、目覚めたドイツ人が何を考え出すのかは大変興味深い。

ただ、ドイツよりもさらに深刻な状況にいるのは、NATOという力強い集団自衛同盟を持たない日本だ。今回の福井さんとの対談のなかでも、中国、ロシア、北朝鮮という核保有国に囲まれながら、なぜ日本人は丸腰で楽しく暮らせるのかという話が何度か出た。私の考えでは、日本人は外敵に攻め込まれた経験が沖縄以外はほとんどないので、侵略されることを想像するとき、あたかも天災のように、人間の力では避けることができないものという感覚でとらえてしまうからではないかと思う。

しかし、だからといって、〝座して亡びるを待つ〟わけにはいかない。そんなことになったら、ここまで日本を守ってくれた先人にも悪いし、これから生まれ育っていく子供たちにも言い訳が立たない。日本にははたして、「戦争を避けるためには強力な軍備が必要だ」と言ってくれる勇気ある大臣はいるのだろうか。

最後に、福井さんの「欧米の惨状に比べれば日本はずっとマシ」という論は、特にドイツにいると、多くの点で肌で実感できる。一方、「日本ののらりくらりが一種の戦略であるかもしれない」というほうは、そうならいいが……と思う程度だ。

ただ、その福井さんが、「令和の日本には核拡散防止条約という二〇世紀最大の不平等条約改正を目指してほしいものです。核武装するかどうかは日本の国民が決めることであり、不平等条約で縛られる性格のものではないはずです」と断言されたとき、私は正直、息が止まるほど驚いた。そうか！　のらりくらり作戦で他人の目をくらませていたのは福井さん御自身だったのか、と。しかし心のなかには、これほど明確、かつ先鋭な考えが潜んでいるのだと気づき、感動にも似た思いを持った。そんな福井さんのお話をゆっくり拝聴できたことは、私にとって貴重な体験だった。なお、ワニブックスの川本悟史様、編集に尽力してくださった佐藤春生様にも、この場を借りてお礼を申し上げたい。

世界は物騒になった。私たちはおそらく、激動の時代を生きている。今、すべきことは、大きな声のニュースを信じないこと、隣の芝の青さに惑わされないこと、そして、自分の頭で考えることだ。この対談本が、少しでもその役に立てば幸甚の至りである。

天高く馬肥ゆる美しい秋の日本で

川口マーン惠美

優しい日本人が気づかない
残酷な世界の本音
移民・難民で苦しむ欧州から、宇露戦争、ハマス奇襲まで

2024年1月10日　初版発行
2024年3月1日　2版発行

著　者　川口マーン惠美
　　　　福井義高

構　成　佐藤春生事務所
校　正　大熊真一(ロスタイム)
編　集　川本悟史(ワニブックス)

発行者　横内正昭
編集人　岩尾雅彦
発行所　株式会社 ワニブックス
　　　　〒150-8482
　　　　東京都渋谷区恵比寿4-4-9 えびす大黒ビル

　　　　お問い合わせはメールで受け付けております。
　　　　HPより「お問い合わせ」へお進みください。
　　　　https://www.wani.co.jp
　　　　※内容によりましてはお答えできない場合がございます。

印刷所　株式会社 光邦
ＤＴＰ　アクアスピリット
製本所　ナショナル製本

定価はカバーに表示してあります。

ISBN 978-4-8470-7369-4